負け犬の遠吠え

酒井順子

講談社

負け犬の遠吠え・目次

装画　井筒啓之
装幀　佐藤可士和

負け犬の遠吠え

本書を読まれる前に

・負け犬とは……

狭義には、未婚、子ナシ、三十代以上の女性のことを示します。この中で最も重要視されるのは「現在、結婚していない」という条件ですので、離婚して今は独身という人も、もちろん負け犬。二十代だけどバリバリ負け犬体質とか、結婚経験の無いシングルマザーといった立場の女性も、広義では負け犬に入ります。つまりまぁ、いわゆる普通の家庭というものを築いていない人を、負け犬と呼ぶわけです。

結婚していない女＝負け犬、とすると、

「でも○○さんみたいに、美人で仕事もバリバリやってる人は、結婚していなくても負け犬ではないのでは？」

と、南アフリカにおける名誉白人のような例外を作り出そうとする人がいるものです。が、どれほど仕事が有能であろうと美人であろうとモテていようと、負け犬条件にあてはまる女は全て負け犬である、というのが本書のスタンス。

「既婚子持ち女に勝とうなどと思わず、とりあえず『負けました〜』と、自らの弱さを認めた犬のようにお腹を見せておいた方が、生き易いのではなかろうか？」

という意識から来る、一種の処世術と見ていただいてもいいでしょう。

なお、本書において「負け犬」と記されている場合、その性別は基本的にメス、すなわち女性です。未婚で子ナシで三十代以上の男性については「オスの負け犬」と表記しますので、混同の無いようご注意下さい。

・勝ち犬とは……

負け犬のカテゴリーに当てはまらない女性の意。いわゆる、普通に結婚して子供を産んでいる人達のことです。お金持ちの夫を得て子供のお受験にも成功して余裕のある専業主婦生活をしている人から、収入の少ない夫をパートで支えていたら子供はグレてしまったという主婦まで、一口に勝ち犬と言っても幅広い層がいるわけですが、世帯収入の多寡や家族仲の良し悪しにかかわらず勝ち犬は勝ち犬である、と負け犬の立場にいる者としては勝手に決めさせていただきます。それぞれの場面において、皆さんのお好みに合った勝ち犬像を思い浮かべることによって、本書を一層楽しんでいただくことができるでしょう。

勝ち犬も負け犬と同様、「オスの」という表記が有る場合以外は全て、メスのことを示すものとお考え下さい。

・「負け」と「勝ち」について

人を勝ち負けで評価することがタブー化している昨今。しかしだからこそ人は余計に、口には出さずとも、心の中で勝ち負けをつけたがっています。

こと女性に関して言えば、今も結婚と子供というポイントによって勝ち負けの評価はなされがち。言論統制が行き届いている現在、

「エッ、まだ結婚してないの？　なんで？　今はよくても、歳とってから寂しくなるよ〜」

といったわかりやすい差別発言は減ったものの、

「ああ、負けてるんですね」

という無言の評価を、私のような三十代・独身・子ナシ者はなされるわけです。

ではなぜ負け犬は「負け」ていると見做《みな》されるのか。……というと、〃何を生産しているのか〃の違い、という問題に行き着くと私は思います。

人間というものは、家族の一員であったり、経済社会の一員であったり、国家の一員であったりと、様々な立場を持っています。誰しも同じである〃国家の一員〃という立場を除けば、結婚して子供を産み育てている専業主婦の勝ち犬は〃家族の一員〃としてのみ、存在していることになる。対して負け犬は、自分の親と自分、という家族は持っていても自分が作った家族は無いわけで、〃経済社会の一員〃としてのみ、存在している。

家庭を持つサラリーマンとか、結婚して子を産みながら仕事も続ける女性は、家庭と経済社会、両方に身を置いているわけです。ではなぜ勝ち犬・負け犬は一つの世界にしか属

していないのかといえば、「逃げたから」、もしくは「求められてないから」。

負け犬は、結婚をしたくない、もしくは結婚する意志はあっても、自分が欲するような男性からは結婚相手として求められていないので、家庭という分野に進出せずに＆できずにいる。同じように勝ち犬は、社会で働きたくないとか、働くことより子育ての方に使命感を覚えたとか、子育ての他にその人でなければできない仕事がなかったからという理由で、家庭という分野にのみ留まっていることになる。そして負け犬と勝ち犬は、相手に欠けている部分を見つけては、お互いに「不完全だ」と言い合うのです。

勝ち犬は、家庭という世界において子供という有機物を生産しています。そして負け犬は、経済社会においてお金という無機物を得ている。両者が生産したもの、すなわち「子供」と「お金」を比べた時に、子供の方がよりまっとうで価値の高い生産物とされるから、負け犬は「負け」ていると判断されるのです。

子育てに疲れた勝ち犬は、

「子供なんかより、お金を自分で稼げる方がずっといい」

と言うかもしれませんし、負けていることに対する言い訳をするのに疲れた負け犬は、

「でも私はちゃんと働いて専業主婦の分も税金を納めている」

と言うかもしれません。

確かにお金をたくさん稼ぐ人は皆から「すごい」と言われて注目されがちであり、お金持ちに憧れる人も多い。けれどお金を稼ぐ人は「すごい」とは言われるけれど、そのお金

が宿命的に持っている下品さ故に、「偉い」とはいわれません。「偉い」のはやはり、お金だけでは育たない有機物を生み出すことができる人なのであり、だからこそ江戸時代の士農工商という序列においても、農は商より偉いのだと思う。

負け犬が勝ち犬専業主婦をゴクツブシ扱いしたり、勝ち犬が嫁き遅れた負け犬を社会の不良債権呼ばわりしたりと、勝ち犬と負け犬は仲が悪いことが知られています。本当は仲が悪いわけではなく、単に共通言語を持たないので嚙《か》み合わないだけなのですが、その「何だかすれ違ってしまう感じ」も、それぞれが生産しているものが異なるところに、原因があるのでしょう。つまりは「すごさ」を追い求める世界において生きている負け犬に対して、勝ち犬は「偉さ」が最も崇高な価値となる世界で生きており、この二つの世界は交わるところが無い。同じメスでも違う土俵にいるため、相撲を取ろうにも本当は相手が見えていないのです。

この勝負、どちらかが折れないと永遠に決着がつかないであろうし、それはあまり良いことではないのではないか……と考え、私共負け犬はこの度、負けを認めることにいたしました（そんなもの勝手に認めるな、という方もいらっしゃるとは思いますが、ご容赦下さい）。

負け犬が負け犬となった理由は様々であり、また私達が普通の家庭というものを嫌悪しているわけでもないのです。ただ、ふと気がついたら負けていた。

そんな我々は、なぜ負けたのか。負け犬の未来は、どうなるのか。そしてこんな負け犬を大量発生させてしまった日本の未来は……？　ということで、これからしばらくの間、遠吠えてみようかと思います。

とはいっても、人間を勝ち負けで二分することが本当は不可能であることは、私も知っているのです。が、そこを無理矢理にでも分けてしまうと単純に面白い、というのもまた事実。あまり勝ち負けという問題に対してキーキー言わずに、しばらくの間この遠吠えに、お付き合い下さい。

余はいかにして負け犬となりし乎

私はなぜ、負け犬になったのか。

これは、わかりやすすぎるほどわかりやすい問題であるような気もしますが、また逆にいくら考えてもわからない問題、と言うこともできましょう。

負け犬がよく口にするのは、

「私は何も悪いことなんかしていないのに」

というフレーズ。それなのに何故負け犬となりし乎《か》、と私達はしばしば考える。

確かに世の負け犬は、殺人にも窃盗にも手を染めていません。親に心配をかけるとか遅刻するとかゴミのポイ捨てといったレベルの罪すら犯していない、真面目な人がほとんどでしょう。

しかし負け犬は、何らかの罪を犯しているはずなのです。してその罪とは何なのかといえば、人生の根本の部分において享楽的にすぎる、ということなのではないかと私は思う。

男であれ就職先であれ旅先であれ、何かを自分で決めなくてはならない時、目の前に二つの選択肢があったとしましょう。右側は、まっとうで安全、でもあまり面白みは無い感じの道。対して左側の道は、あぶなっかしいけれどスリリング、そしてアメイジング。

その時に、

「だってこっちの方が絶対に確実でしょう？　何を迷う余地があるの？」

と右側を選ぶことができるのが、将来、確実に勝ち犬となることができるタイプの人です。

対して、右側の方がいいと頭ではわかっている上に、親だの友人だのからも「右にしろ」とさんざ言われているのに、

「とはいっても、人生楽しまなくちゃ意味ないっしょ〜」

と、どうしても左側を選んでしまうのが、負け犬を約束された人。

面白そうな道を選ぶのは人として当然のことではないか、なぜそれが悪いのだ、という意見もありましょう。確かにこの時代、正しいか間違いか、善か悪かという基準ではなく、興味が持てるかどうか、ピンとくるかどうかで物事を選択することが私達には許されており、そこに何ら障害は無い。

ですが、「面白いこと」にはリスクが付き物なのです。面白い男性は、生活力が無かったり、暴力癖があったり、病的な浮気性だったり。面白い職場は、男女関係が乱れていたり、拘束時間がやたらと長かったり、給料が安かったり。そして面白い旅先は、いつだって危険がいっぱいと相場が決まっている。昔話においても、常に面白いことを選ぶキリギ

リスの末路は不幸で、面白いことをグッと我慢してきたアリは幸福になることになっているのです。

勝ち犬的素養を持つ人も、面白いことは好きなはずです。しかし彼女達は、それこそ犬のような嗅覚を持って、面白そうなことが放つ危険な香りを嗅ぎ分け、その香りが漂う場所には近付かないようにすることができる。一人の女子大生が、商社とマスコミ両方の内定を勝ち得た時、商社を選ぶのが勝ち犬で、マスコミを選ぶのが負け犬なのです。

勝ち犬になるような人は、そもそも面白いことをするような資質を持っていないのだ、と言うこともできるかもしれません。面白いことをするには、ある種の度量が必要です。それは時に体力であったり、知的好奇心であったり、勇気であったり、また経済力であったり、親の自由な教育方針であったり。その手の資質を持っている者が、つい「できるから」と面白いことに手を染めてしまい、そのまま負け犬街道を歩む、のかもしれない。反対に言うなら、勝ち犬は、勝ち犬の道を進むしか生きる道がないから、勝ち犬になった。

負け犬がよく口にする言葉として、

「やらないで後悔するくらいなら、やって後悔した方がいい」

というものがあります。私達はいつもその言葉を胸に、「面白いこと」に対して突進してきました。

この言葉は、一瞬真理をついているように見えるのです。同じ後悔をするのであれば、何もしないでいるより、何らかの経験を伴っていた方がいいではないか、と。

私達はしかしその時、「やらない」という選択をすることによって、後悔そのものをせずに済んでいる人もたくさんいるということを忘れています。目先の面白いことを捨てることによって、人生の根本に関わるような大きな後悔もせずに生きている人のことを、

「やらないで後悔なら、やって後悔！」

と叫ぶ負け犬は、見て見ぬフリをしているのです。

面白そうなことを、どうしても選んでしまう。これは負け犬の性《さが》であり、業《ごう》であります。

たとえば二十三歳の若手OLが、同じ日に二人の男性から誘われたとしましょう。一人は、素朴で真面目で今のところは貧乏で話題の貧困な同い年の男性。彼は「東京一週間」に載っていた新しい居酒屋に行こうと言っています。

もう一人は、既婚で物識《ものし》りでマスコミの仕事をしている年上の男性。彼は、行きつけのフグ屋に行こうと言っています。

その時、勝ち犬的素養を持つ女性であれば、たとえそれまでの人生の中で一度もフグを食べたことがなかろうと、

「フグ屋に行ってはいけない」

という天からの声を聞き、前者と居酒屋でデートをするはずです。

ところが負け犬的素養を持つ女性は、

「フグってどんな味なのか？」

という好奇心に抗《あらが》うことができません。ついフラフラとフグ屋に行ってしまった結果、てっさだのヒレ酒だのそして不倫だの、知らずに一生終えても何ら問題はない「面白いもの」の味を、憶えていくことになる。

不倫は実際、負け犬の大量発生、晩婚化、ひいては少子化の大きな原因の一つとなっていると私は考えます。現代社会において不倫はごく日常的な出来事ですが、軽い気持ちで行なった不倫が、独身女の婚期を遅らせる……だけならまだしも、その婚期を奪うということもままある。たとえ不倫を継続しなくとも、不倫によって年上の男性の経済力や包容力等の味を一度しめてしまった女性の目に、同年代の男性がつまらなく見えてしまうことも、ままあります。

女性側だけの問題ではありません。不倫によって男性側の家庭には不幸の影が射し、幸せそうではない主婦が世間に溢れる。それを見た世の若人達は、

「結婚って良いものではなさそうだなぁ」

と思ってしまい、ますます晩婚化・少子化は進む。

不倫の大量発生には、社会構造の問題が絡んでいます。東京の既婚サラリーマンで考えてみれば、彼等は都心から遠く離れた郊外に住み、長時間労働をしています。そのため、家族と過ごす時間は非常に少なく、仕事上で関わる女性と過ごす時間の方がよっぽど長い。共に過ごす時間が長ければ長いほど、つまり経験を共有すればするほど情愛が湧くのは人として自明であり、都会の不倫というのは社会の仕組みによって構造的に生み出され

ているものとも言えるわけです。

都市の不倫問題を解決するにはどうしたらいいのか。不倫の横行は国家の存亡に関わる問題のような気もしますが、個人の不倫問題に国は無論、介入してきません。首都移転とか、地方分権といったことを進めることによって、不倫は減少するのか。それとも、都市機能を分散させることによって、不倫とは無縁だった地方まで、不倫汚染されてしまうのか。何となく後者のような気もしますが、姦通罪でも復活させない限り、不倫撲滅は無理な相談なのかもしれません。

国家と不倫の話はさておき、目先の不倫に話を戻しましょう。同じ二十三歳のＯＬでも、フグ屋に行く人と行かない人がいる。この違いは、合理的精神の有無の差、と言うこともできます。

未来の勝ち犬は、フグ屋に誘われた時にこう考えるのです。

「なるほどフグは、おいしいのかもしれない。しかし私がフグの味を知ったからといって、そこに何の得が生まれようか。私はグルメ自慢をしたいわけではない。女は下手に贅沢な味など憶えず、何を食べても『うわぁおいしい、こんなの初めて食べた！』と言った方がずっと男ウケは良いのだ。また、年上の物識りの男の方が同い年の男より刺激的で面白いことも確かだろうが、そんな男と親交を深めても、やはり何ら得は無い。何だかんだ言ったところで、女としての幸福の基礎になるのは結婚であり、より良い結婚をするにあたって、おじさんとの付き合いは百害あって一利なし。同い年の男は、今は貧乏でも将来性があるし、話なんかつまらないくらいの方が、将来こちらの意のままに扱うことができて結局は得なのだ」

と。将来を見据えた上で、どちらを選んだ方がより多くの「得」や「利」を得られるかを冷静に考えた、実に建設的な行動指針と言うことができましょう。

対して、未来の負け犬はこうです。

「フグ？　食べてみたーい！『フグ食べちゃった』って友達にも自慢できるし、それにこのおじさんと仲良くしてれば、色々とおいしそうなもの食べさせてもらえそうだし。同い年の男なんて、つまんないもの」

と、目先の快楽しか追っていない。

「面白いことより、将来的に得なこと」

と考えるのが未来の勝ち犬、

「将来のこととかはよくわからないから、今面白いことを」

と考えるのが、未来の負け犬。家庭を持つのにどちらが適性を持っているかは、一目瞭然でありましょう。

負け犬は、自己弁護のように聞こえることは重々承知ですが、決して性格が悪くて負け犬になったわけではありません。むしろ、

「あらっ、面白そう」

と危険な方向へキャーキャーキャー言いながら進んでいく非常に素直な性格であり、同族の動

きを観察していると、堅実なしっかり者でイザとなったら恐いほど現実的という勝ち犬に比べて、可愛らしくすらある。

負け犬は、馬鹿でもありません。頭では、危険な道に進まない方がいいことは、じゅうぶんにわかっているけれど「ああ、こんなことしてたらいけないのかも」と思いつつ進むリスキーな感じが余計に興奮をそそり、ますますそちらの方へ行ってしまう。一種の珍味喰い体質なのです。

もう一つ言うのであれば、負け犬は恋愛体質である確率が高い生きものです。恋愛体質とは、いつも恋愛しているとか、恋愛していないと生きられないとか、恋愛経験豊富とか、まぁその手のタチのこと。「恋愛してないと人でない」という空気が横溢《おういつ》する今、恋愛体質は婦女子憧れの体質であり、

「恋愛体質になるにはどうしたらいいの？」

といったページが女性雑誌にはしばしば組まれているわけです。

我が国の行く末を憂う私は、そんなページを見て〝若い女子達をそんなに恋愛体質へと駆り立ててしまってよいものなのか……？〟と、不安になる者です。若い女性が軒並《のきな》み恋愛体質になってしまったら、ますます負け犬が増加することは間違いないから。

ではなぜ、恋愛体質の人は負け犬になりがちなのでしょうか。

恋愛体質者も、結婚を望んでいないわけではないのです。が、次々と男は現われるし、もう少し待っていればもっと良い男が現われそう。

「それに、色々な男の人を知るのって、面白いじゃない？」
と、持ち前の「面白いことに弱い」という気質を生かして、結婚の機会をどんどん遅らせていきます。

対して恋愛体質ではない人は、身の程を知っています。目の前に男が現われたら、「もう次はないかもしれない」という気迫で一発必中を狙う。彼女達には、恋愛体質者が持ちがちな「常に恋をしていないと恥ずかしい」みたいな感覚は無いので、
「ええ、恋愛経験は少ないですけどそれが何か？」
と堂々としている。結果、数少ないチャンスを見事にものにして結婚・出産と、まともな道を進むことができる。

そもそも女の人生とは、このようなものだったと思うのです。今、恋愛体質という素敵な名称でもてはやされている人は、一昔前であれば「アバズレ」「ズベ公」と言われる存在だった。多くの女性は、適齢期に出会った男性と「まぁこんなもんか」と結婚し、結婚した相手がたとえダメ男であっても、じっと我慢して離婚しなかった。

しかし日本が戦後の貧しさから脱却した辺りから、若者、特に女の若者は「恋愛は楽しい」ということを発見してしまったのでした。一人の異性から愛され、大切にされ、性的快感も得られ、しかし基本的には何ものにも縛られずに自由、という恋愛環境が楽しくないわけはない。

彼女達は、恋愛の先にある結婚、その先にある生活というものがどれほど大変であるか

も見知っています。いずれは結婚をするのだろうとは思いつつも、だからついつい彼女達は恋愛を繰り返してしまう。身体に良い野菜は食べず、甘いお菓子ばかり食べてしまう子供のように。

ふと気がつけば、年齢的に恋愛の盛りは過ぎています。以前は次々にやってきた恋愛の波もほとんどなくなり、ベタ凪《な》ぎ状態。〝ああ、あの時に結婚していたら……〟と、ささいな部分が気に入らなくて結婚を断ってしまった昔の男のことを思い出し、負け犬は月を見上げるのでした。

負け犬とは、享楽的な恋愛体質者。……としてしまうと、

「そりゃ、負け犬になるのも無理はないでしょう」

と言われてしまいそうですが、負け犬はそれだけで負け犬となったわけではありません。負け犬形成に欠かせないもう一つのエッセンス、それが「含羞《がんしゅう》」というものです。

……などというと、まるで「私は含羞ある人間だ」と言っているようですが、そうではないとも言い切れず、っていうかそれくらい思ってないと負け犬なんてやっていけない、という風にお考えいただければ幸いなわけですが。

で、含羞問題とは何か。……というと、負け犬からすると、勝ち犬というのは人生のある時点で一回、結婚という目標を達成するために、恥を捨てた人に見えるのです。

それはつまり、狙いを定めた男性の前で酔ったフリをしたり、「お見合いしろって親から言われてるの」とか「妊娠したかもしれない」とか「料理が得意なの」などと嘘をつい

てみたり、泣き落としをしたり、一オクターブ高い声で話したり、経歴詐称したり、一人では生きていけないフリをしたり、それなのに婚約が整った後は急に強権を発揮しだしたり。

負け犬には、それらの行為が恥ずかしくてできません。友人知人が、それらの手練手管《てれんてくだ》を使っているのを見ると、いたたまれない気分になってしまうのです。

負け犬が手練手管だと思っているものは、しかし勝ち犬を目指す人にとっては、〝生きていくためには必ず踏まねばならぬ踏絵〟です。

「そんなもの、どのツラ下げて踏めというのだ」

と負け犬が頑《かたく》なに言い張る間、勝ち犬を目指す人は軽々と踏絵を踏んで、勝ち犬の国へと入る。そればかりか負け犬街道を順調に歩んできたと思われていた人も、ある日突然改心して踏絵を踏み、ヒラリと方向転換することもある。

「恥を知れ！」

と残された負け犬は叫んでみますが、既に勝ち犬となった人達に、その叫びが聞こえるわけがありません。

本当は負け犬だって、一回や二回、「あっ、これは踏絵かな？」と思えるものを踏んだことはあるはずなのです。が、負け犬の場合は、踏絵だと思って踏んだものが、実は薄氷だった。ずぶずぶと冷たい水の中に沈みつつ、「踏絵を踏める人と踏めない人は、やはり生まれた時から分かれているのではないか……」と、負け犬は思うのです。

こうして、自らの負け犬っぷりに対する自覚をどんどん深めていく、負け犬。

「私ったらどうしてこんなになっちゃったのか」

という自問を繰り返し、その原因もよく理解しつつ、「でもどうすることもできないしなぁ」と悶々とする。

しかしそんな負け犬ばかりでもありません。自覚的負け犬が存在する一方で、自らの負け犬っぷりを全く自覚していない、〝感じてない負け犬〟も、いるのです。

その人は、三十歳をいくつも過ぎて、結婚していない。恋人もいないし、モテもしない。親は、娘の問題についてやっきになっているのに本人は、

「私、結構楽しいし〜」

と泰然自若《たいぜんじじゃく》。当然ヒマなのだけれど、お稽古事に通いつめて、フルートが巧くなったり、刺繍《ししゅう》の大作を仕上げたりしている。

〝感じてる負け犬〟と〝感じてない負け犬〟の差は、感受性の差、なのかもしれません。感じてる負け犬は、日々内省を繰り返しているのに対し、感じていない負け犬は、

「えぇーっ、何悩んでるの？　私は、ただ何となく過ごしてるうちにこの歳になっちゃったって感じだけどなぁ。だって結婚とか出産とかって、できないものはしょうがないじゃーん」

と、いたって明るい。

もっと若い時代、感じている負け犬は、〝何も感じてない負け犬っていうのも、どうな

のかしらねぇ。ま、結局はあの手の人達が一番可哀相なのよねぇ〃と、感じてない負け犬のことを下に見ていたのです。が、今になってみると、感じていようと感じていまいと、負け犬は負け犬。それならば、

「はァ？　私達、負け犬なのぉ？」

と、あっけらかんと負け犬を張っていられる方がよっぽどラクなのではないか、という気もしてくるのです。

読者の皆さんは、こんな本を読んでいるという時点で、既に〝感じる負け犬〟なのだと思います。感じない負け犬に今さらなることもできず、かといって今さら勝ち犬になる道も険しそう。〝どうしたって感じてしまう負け犬〟である、という事実を背負って、私達は歩いていくしかありません。

「神様は、その人が耐えられるだけの苦悩しかお与えにならない」

とも、言うことですし。

……あっ、これも、

「やらないで後悔するくらいなら、やって後悔した方がいい」

と並んで、負け犬が心の拠《よ》り所《どころ》にしがちな格言であって、自己正当化しなくても生きていける人には、全く必要ない言葉であるわけですけれど……。

負け犬発生の原因

負け犬と三十五歳

　学生時代の女友達であるAちゃんと、久しぶりに話していた時のこと。彼女は今、子育て真っ盛りの専業主婦。同じく専業主婦のBちゃんはお受験で忙しいとか、Cちゃんは三人目を妊娠したとか、しばらく同級生達の近況話に花が咲きました。

「でもね」

　と、Aちゃん。

「私、Dちゃんってすごく偉いと思うのよ」

　と口調を変えました。Dちゃんとは、三十五歳現在、私と同じく結婚せずに働いている友人です。

「え、なんで？」

　と問えば、

「私もBちゃんもCちゃんも、みんな結婚して子供がいるわけでしょ？　Dちゃんは独身なのにちっとも嫉妬しないで、ちゃんと私達の仲間に入って子供の相手とかしてくれるんだもの……」

と。

私はその時、

「あー」

としか言うことができませんでした。いわゆる絶句、というやつなのだと思います。そして次の瞬間、はっきりと悟ったのです。

「そうか、Dちゃんや私っていうのは今、Aちゃん達からしてみると完璧に『可哀相な、哀れむべき存在』なのだ。Aちゃん達に嫉妬しないだけで『偉い』って誉められる負け犬なのだ……！」と。

次に考えたのは、私に対して「Dちゃんは偉い」と誉めた、Aちゃんの真意です。Dちゃんと私が同じ立場であるということは、Aちゃんも百も承知であろう。その私にわざわざ「Dちゃんは偉い」と言うということはつまり、

「あなたは私達に嫉妬しているのでしょう？　でもDちゃんはあなたと同じ立場だけれど他人の幸せに嫉妬なんかしていないわよ。もっと広い心を持ちなさい」

と、言いたかったのか。

私は、我が身を振り返りました。自分では気付かなかったが、今まで専業主婦の友人達に嫉妬をしていると感じさせるような言動をとっていたのか。確かに彼女達と私とではあまりに興味の対象が異なるので、会話しようにも話題が無かった。いきおい私は主婦達の会話を菩薩《ぼさつ》のように黙って聞くだけだったのだが、その態度が嫉妬と思われたのか。……

ああっ、生きるって難しい！

次に思いを馳せたのは、Aちゃんの鈍感さ、です。「Dちゃんは嫉妬しないから偉い」と誉めることが、Dちゃんや私のような者に対して、

「可哀相な人達、早く私達のように幸せになれるといいわねぇ」

と言うのと同じということに気付かない彼女に対して、私は驚愕を通り越して、ほとんど感動のようなものを覚えたのです、本当に。嫌味じゃなくって。

Aちゃんは、心の底からDちゃんに同情し、可哀相な身の上なのに嫉妬をしない彼女を「偉い」と思い、その心情をそのまま私に伝えたのだと思う。その素直さは、私のような者から見るとほとんど暴力に近い。

三十五歳で社会に出ている女性であれば、この手の発言は決してしないはずです。三十五といえば、分別盛りにさしかかるお年頃。社会で無駄な荒波をたてないためにも、相手の立場や人となりを素早く見抜いて相手に合わせた対応をする訓練がなされています。そんな人は、たとえ相手のことをどれほど見下していたとて、これっぽっちもその感情を表には出さない。

私はAちゃんに対して、「やっぱりこの人達は、幸せなのだなぁ……」と、しみじみ思いました。あ、これも嫌味じゃなくて。

日々子供を育てる生活とは、「お腹空いた」とか「眠い」とか「ウンチしたい」といった本能にひたすら対応する生活。裏の真意だの駆け引きだのといった要素が入り込む余地

は、そこには無い。目の前に可哀相な人がいたら素直に、

「なんて可哀相なの！」

と言うことが、彼女達の生活においては唯一の真実なのです。それほどまでに明快な生活が、幸福でないわけがない。

決して悪い意味ではなく、Aちゃん達は今、「鈍感盛り」のお年頃です。子育てという崇高かつ本質的な業務に邁進《まいしん》する戦争のような毎日において、〝やり甲斐のある仕事〟とか〝細やかな感情のひだ〟とか〝本当の私って？〟といった、人生における装飾品のようなものはどうでもよくなるであろうことは、私にも想像はつく。

対して私達は今、「敏感盛り」。結婚もせず子も産まず、ということは、今までひたすら自分のことだけを考える毎日を送っていたということ。いくら仕事が忙しいとはいっても、その仕事をするのも全ては自分のためだった。

十代・二十代は、誰しもが自分のことばかり考える年代でしょう。しかしそんな生活も三十年目に突入すれば、次第に内省的にならざるを得ない。それは「そこまで自分のことばっかり見なくてもいいって」と自分に言いたくなるほどであり、生活に全く役立たない神経のみが鋭敏になっていく。

鈍感盛りのAちゃん達と、敏感盛りの私達。そんなAちゃんと自分の間には透明な、でもバズーカ砲をぶっ放してもヒビすら入らないほど頑丈なガラスの壁があることを、私は痛感せずにはいられませんでした。同じ日本語を話すので相手の話の意味は理解できるけ

れど、その話に対して心の底から共感し、分かち合うことがどうしてもできないのです。

これは、かなり寂しい感覚です。学生時代は、初めてセックスをしたのはいつで相手は誰、というところまで把握しあっていた友人達。だのに社会人となってそれぞれ別の世界で十余年。友人達の半分くらいは専業主婦になっており、彼我《ひが》の間には気付かないうちにガラスの壁が存在していた。もう壁の向こう側にいる人達と、

「そうそう！」

「わかるわかる！」

と言い合うことは一生ないのかという、この孤独感。

ガラスの壁は、しかし一枚だけではないのでした。少し前までは自分と完全に一体で、別離の時が来るという想像すらつかなかった「若さ」。その若さと自分の間にも、知らないうちに壁ができていたのです。

人はもっと早い時期からそれを自覚するのかもしれませんが、私の場合はだいぶ長い間、「自分が既に若くない」ということに気がつきませんでした。三十歳を過ぎてもなお、慣性の法則によって、若者気分をひきずっていた。

ところが三十五歳になった辺りから、「あ、違うのかも」という気持ちになってきたのです。二十代の人と会話を交わす機会がほとんど無い。交わしたいとも思わない。たまに交わすことがあっても、何を話していいかわからない。

さらには会話の中で、

「若い人達は知らないかもしれないけれど」

　とか、

「若い人達が行くようなお店」

　といった言葉遣いをするようになった。そしてそんな言葉遣いをしても、

「なに言ってるんですか、自分だって若いじゃないですか」

　と突っ込まれなくなった。

　自分が若くないということを示す、確実な数字もありました。テレビや広告の世界では、視聴者や消費者を年齢で分類しています。いわゆる若い女性はF（＝フィメール）1と言われ、ドラマでもお店でも新商品でも、世間では「F1層にウケればヒットしたも同然」ということになっている。してそのF1層とは、二十歳から三十四歳までの女性、のことを指すのでした。

　昔は、自分がF1の範疇《はんちゅう》外の年齢になることなど、考えもしませんでした。が、今実際自分は、若い女性を狙う人からはターゲットにされないF2層（ちなみにここは三十五歳から四十九歳まで）になっている。若さと自分との間には、例のガラスの壁がすっくと立っているのです。

　数字って実にクールだ、と私は思いました。どれほど若く見えようと、若者の風俗をよく知っていようと、年齢という数字は「あなたは若くない」と私に宣告する。

　女性雑誌では「年齢なんて気にしない！」という風潮が多勢を占める今、「三十五歳だ

から『若い女性』ではない」という思想は後ろ向き、と言われるのかもしれません。が、私は「年齢なんて気にしない！」という説がどうもしっくりこない者。明らかに自分のものである年齢を、「気にしない！」と見て見ぬフリをすることが、良いことなのか。その方がよっぽど〝人間、若くてナンボ〟という呪縛に囚《とら》われていることになりはしないのか。できれば老けて見られたくないと願う自分がいる一方で、遠い目をして若さを眺める自分も、いるのです。

ガラスの壁は、確固たる存在です。自分とかつての同級生との間に、そして若さとの間に。もっとよく見れば、異性との間にも立っているし、親兄弟との間にもある。

三十五歳とは、そんな壁をいちいち認識する時期なのだと思います。そして三十五歳とは、同級生や、恋人や、家族や、若さといったものと自分は一体であると信じていた時代がいかに異常であったかに、やっとこさ気付く時期でもあるのです。

それでもガラスなど無いフリをして生きる、今。ふとその存在を忘れてガラスに勢いよくブチ当たり、年がら年中、コブが絶えない私なのでした。

負け犬と年齢

三十代の前半を生きた後、三十代後半生活に突入してみたら、その違いの大きさに私はけっこう、驚いたのでした。

その驚きを一言で表現してみるならば、

「三十代前半なんて、まだまだ甘かった！」

というもの。

三十代になれば、結婚をしていない女性というのはかなりあせるはずだ、と世の中の人は思っています。が、本人達にしてみると実はそうでもないのです。二十代後半から連綿《れんめん》と貼られ続けている「そう若くはない未婚女性」というレッテルはそのままだし、今の時代において三十代で結婚していなくとも、奇人扱いはされない。

「三十過ぎてこんなことしてるはずじゃなかったのにー、ヤバイっすよ」

と言う顔にも、〝でもまだ猶予はある〟という笑みが浮かんでいるのです。

思えば私も、そうでした。三十代前半も、負け犬感は覚えていたものの、〝ま、今はあんまり深刻に考えなくても、三十代後半に何とかすればいいか。もしこれから結婚して子

供を産んだりしても、三十代のうちに収まるもんね〟と余裕しゃくしゃくだった気がする。そして自己の存在を正当化するために、

「だって出産って痛いし面倒臭いしー、子供なんて別に欲しくないもん」

と豪語していたわけです。

ところが三十代後半になってみると。何だか、尻に火がついているような気分になってきたではありませんか。「何をやっているんだか、私」という悩みも、三十代前半に比べると深刻に。

思い起せば、三十代前半の時、三十代後半の先輩負け犬に言われたことがあったのでした。

「そうやって『子供なんていらない』とか堂々と言ってられるのはね、三十代前半だからなのよ。後半になったらきっと、違う気分になると思う」

と。

尻に火がついたような気分というのは、おそらく「子供を産むリミットが近付いてきている」という現実によってもたらされているのだと思います。三十代前半は、「子供」というカードを今すぐ手に取らずとも、まだ選択は先に延ばせると思っていました（……というのも危機感なさすぎなのだが）。が、後半になってふと気がつくとあら大変、もうリミットは目の前に。それどころか、

「三十代後半になると卵子の質も悪化し、ホルモンのバランスも崩れ、妊娠しにくい。や

はり子供を産むのであれば、三十代前半までがベスト」

といった記事も女性誌にはしばしば載っており、

「もしかしてもう既に手遅れっていう可能性もありなのかぁ」

とびっくりする。……って、だから気付くのが本当に遅すぎるのですけど。

多くの負け犬は、ここでハタと悩むのです。やはり女として生まれたからには、子供を産まねばならぬのではないか。仕事はやろうと思えば閉経後もできるけれど、子供を産むにはリミットがあるのだし。いやしかし、実はリミットなんてとっくに過ぎていて、もう妊娠しないかもしれない。っていうよりその前に相手がいない。一から相手を探して相手の好意を確認して恋愛して結婚して子供を産むという一連の行為を、四十歳までのわずかな期間でできるのか？　いっそのこと精子バンクを利用するとか？　それともこの人の子ならまぁいいか、という身近な男性に事情を説明して業務としてのセックスをしてもらうとか？　うわぁ面倒臭い、けど産みたいなら迷ってはいられない、けど本当に私はそんなことまでして産みたいのか？　やっぱり子供を産むなら、愛し合った人に望まれた結果として妊娠したいものだし……ってあたしったらバカバカ、何を今さらそんなオボコいことを考えているのだ……。

と、悩みはスパイラルと化す。

それは、実に深刻な苦悩なのです。子供を持つという方向に今から進むには、尋常ではない労力を必要とする。体力や経済力がもつかも心配だ。しかし子供を持たないとなると、一生を一人で過ごすという可能性を受け入れることになる。さて、どうするアタシ？というわけで、それはこの先の人生を左右する大きく、重い選択。これが悩まずにいられましょうか。

そんな重大なことをどうしてリミット直前になるまで考えなかったのだ、と当事者以外は思うことでしょう。言い訳をさせていただくならば、大変そうなことというのは何事も、締切が迫ってくるまでは放置しておきたいのが、人としての素直な態度なのではないか。昔のことを思い出してみれば、夏休みの宿題をお盆前に片付けてしまっているような人は、どいつもこいつもいけ好かないタイプだったのではあるまいか。負け犬というのはつまり、夏休みの最終日に泣きながら宿題をするタイプの、気のいい人間なわけです。

「もうすぐ締切」ということを頭で考えて悩む以外に、三十代後半は肉体的にも過渡期にさしかかっているのだと思います。肉体の奥底から、

「締切間近だぁ〜、もうすぐ扉は閉まるぞぉ〜、違う世界に行きたいのであれば早く扉をくぐれぇ〜！」

という声が湧き上がってくる。精神と肉体の両面から、

「で、この先どうすんの？」

という最終選択を迫られるのが、三十代後半の負け犬なのです。

三十代後半負け犬は、自らの女性性というものに対しても、自信を失いがちです。生殖能力の低下という問題だけでなく、シワだのシミだのといった問題も顕在化してくる。世

の中には、三十代後半の女性が最も色っぽいなどという意見もあるようですが、日本においてそれは特殊な趣味であって、多くの男性は、より若く何にも染まっていない女性を好む。また通常の男性と比べて未来化している男性は生身の女性ではなくバーチャルな女性に萌《も》え感を覚えるわけで、小理屈をこねがちで小金持ちの負け犬など、ハナからお呼びではない。

すなわち、

「もうモテないのではないか？」

「もう私の相手となり得る異性はこの世に存在しないのではないか？」

という、極めて現実的な恐怖心が湧いてくるのが、三十代後半という年代です。

悩みの尽きない、三十代後半負け犬達。私達は三十代前半の、まだ元気にキャンキャン吠える負け犬を見ると、

「今のうちからよーく、考えておいた方がいい」

「不倫なんかしてる場合かっ」

「三十代の前半と後半では、見えるものが違うのだ」

「体力だってガックリ落ちる」

と、諭《さと》すように言うのです。が、彼女達は理解しようとしない……と言うより、先のことを理解することができない性質だからこそ、彼女達は三十代前半現在、負け犬として生きている。たった数歳の違いとはいえ、その立場になってみないとわからないことは、確

実にあるのです。

後輩負け犬を何とかしてやりたい、とは私も思います。しかし自分も三十代前半時代、先輩負け犬から、

「子供欲しいんだったら、早めに産んでおいた方がいいよぅ」

といったアドバイスを受けても、

「そんなもんなのかなぁ?」

とポカンとしていたことを思い出すと、〝嗚呼、負け犬ってやつは……〟と、同族の呑気さ加減に嘆息するしかないのです。

負け犬スパイラルの只中にいる三十代後半負け犬は、いつ、どうやったらこの渦から抜けることができるのか、わかっていません。ある日突然、理想の男性が目の前に現われて熱愛をし、

「どうしても君に、僕の子供を産んでほしい」

「でも私、もう妊娠しないかもしれないし」

「君の子でないと駄目なんだ。君以外の子供だったら、僕はいらない」

なんて会話を交してめでたしめでたし……というロイヤルストレートフラッシュ的な結末を迎えるという目がまずないということは、三十代も後半になれば、負け犬にもわかってくる。

もちろんワンペアとか、せいぜいツーペアくらいの地味な手で勝利を狙う努力は惜しま

ないものの、恐ろしいのは何の手もできずに、ただ歳をとっていくということでしょう。

が、ここで負け犬は、またもや楽天的に考えてしまうのです。三十代後半は、負け犬にとっておそらく、一番の試練の時なのかもしれない。四十代になってしまえば、子供を産まなかったとしても既に諦めもつき、スッキリするのではないか……などと。

四十代の負け犬に聞いてみると、事態はそれほど簡単ではなさそうなのです。

「この歳になると、今度は本格的に老後のことが心配になってくる」

「会社だって、いつどうなるかわからないし」

「親も弱ってきているけど、その介護は結婚していない私に押しつけられそうな気もする」

「今は四十代半ばでもまだ頑張って子供を産む人がいるけど、もちろん私にはそんな元気も勇気もない。……けれど、〝この歳で産む人だっている〟と思うと、まだ心のどこかが揺れる時がある」

……と、四十代になれば、四十代なりの悩みが出てくるそうなのです。四十代になれば「あの頃はまだ青かったわねぇ」と、余裕を持って三十代後半を思い出せるわけではない、らしい。ということは、五十代になっても六十代になっても、同じことが続くことが、予想されます。

早くラクになりたくて、ゼイゼイしている負け犬。しかしある年齢が来ればラクになる、というものではどうやらなさそうです。負け犬はまた、ロイヤルストレートフラッシュでもワンペアでもツーペアでも、とにかく勝てる手さえできればラクになれると思っているフシもありますが、おそらくはそれも間違い。

「勝った！」で終るのはマンガの世界だけであって、私達はたとえ勝ったとしても、その先もまだ、生きていかなくてはならないのですから。

勝った先にある苦悩というものを知らない分、私達はまだ幸せなのかもしれないなぁ……と、自分を慰めるためにも、三十代後半・悩み盛りの負け犬は思ってみるのですが。果たして我々が、今の悩み盛りの時期を懐かしく思い出すことができるのは、いつのことになるのでありましょうか……？

負け犬と大人

大学生時代、とある雑誌において「三十歳成人説」という特集がなされていたことを記憶しています。明治時代の平均寿命は四十代前半、とはいえ乳児死亡率も今よりはグッと高かったから、まともに大人になった人の寿命は五十歳ぐらいだったであろう。対して現代の平均寿命は掛け値なしで八十歳を超えている。五十歳と八十歳が相応するとなると、二十歳に相応するのは三十歳すぎとなる……ということで、「三十歳成人説」。人生のスピードは、平均寿命の伸びとともにゆっくりになってきているのだ、ということでした。

当時、二十歳過ぎだった私は普通に、「ああ、わかるわかる」と思いました。成人式で振り袖は着たけれど、当然ながら自分が大人になった自覚は、全く持っていなかった。三十歳という、山のあなたの空遠く、に存在している年齢になれば、こんな自分も大人になるのかもしれない……と、ぼんやりと思っていたのです。

時は流れて、今。三十五歳となった私は思うのです。今や「三十歳成人説」では通用しなくなってきている。厳密を期すのであれば、「三十五歳成人説」の世となっているのではないか……、と。

「三十歳成人説」が唱えられた十二、三年前は、三十歳になることのプレッシャーのようなものが、確かに存在したと思うのです。既に晩婚化が進み、「クリスマスケーキ」などという言われ方（＝女は二十五過ぎると売れ残り）も一時代前のものとはなっていたものの、三十歳になる前には結婚したい、という意識を未婚女性は少なからず、持っていた。

三十歳過ぎで独身だと、

「あの人はもう、諦めちゃった人」

と、周囲から思われました。当時、三十歳という年齢にはそれなりの重みがあり、三十代になるということは、若者という立場からの脱却を意味していたのです。

しかし今、三十歳という年齢に、さほど大きな意味はなくなっています。十数年前の二十代が感じていたであろう、「三十歳になってしまうのが恐い」「ヤバい」といった〝大台感〟は薄れている。

幼稚であることにおいては世界的に有名な日本の若者もさすがに成熟してきて、大人になることへの嫌悪感がなくなってきたから、ではありません。おそらく私達は、自らの幼稚性にますます麻痺《まひ》してしまったが故に、もう日本人の平均寿命などさほど伸びてもいないのに、成人到達年齢だけをさらに引き上げてしまった、のです。

自らのことを思い起してみると、本当にどうってことない感覚で、私は三十歳を迎えたのでした。二十代ももう十年やっていて、いい加減飽きた。独身ではあるものの、三十歳で結婚していないことが異常だという風潮も、この世にはない。

数字で見てみても、それは立証されるのです。私が三十歳になったのは一九九六年のことですが、国立社会保障・人口問題研究所による「人口統計資料集」によれば、一九九五年の時点で、東京都における女子二十五歳から二十九歳までの未婚率は、六〇・一パーセント。三十歳になって女子が未婚ということは、ごく当たり前の現象でした（ちなみに女子の晩婚化傾向も、東京都のみが著しく進んでいる気はある。同数字も、最も低い福井県では三九・九パーセント。東京都の次に高い福岡県でも、五一・七パーセント）。

それは、ほとんど心地よいとも言える感覚でした。三十代前半という時代、私は若者でもなければ、大人でもなかった。若者界の掟《おきて》からも、大人界からの掟からも自由でいることができたのです。

今の世の中においては、若者でいるというのも、結構大変なのです。若者は常に、元気で先鋭的で、無邪気で幼稚でお洒落でいなければならない。さらには少子化が進む今、若者は「反抗的でやっかいな存在」ではなく、「社会に元気を与えてくれる希望の源」としての期待を寄せられまくる存在です。

「こんなことをしたら、若者様がご機嫌を損ねられてしまうのではないか」

「こんなことを言ったら、若者様がまっすぐお育ちになれないのではないか」

と、社会全体が若者様におもねりまくっている。若者様としては、

「そんなににじり寄ってこないでヨー！」

と言いたくもなるのではないか。

三十代前半の私は、「とりあえず私は、純正の若者ではない」という認識だけはしていたので、社会からのおもねり攻撃からは自由でいられました。さらには「そして私は、大人でもない」とも思っていたので、大人が引き受けなければならない責任も、回避していられた。

三十代前半の私は、社会における台風の目のような真空状態の中に身を置いて、ポカーンとしていたのでした。三十二歳は女の厄年《やくどし》ということで、恋愛だ何だと大騒動もあり、「嗚呼、人生って、もしかしたらつらいのね」などとも思ったものの、そんなクソの役にも立たない（失礼）騒ぎに思いっきり時間を割《さ》くことができたのも、真空状態の中にいたからこそ。「きっと今が、人生の中で最も無責任に好きなことをやっていられる時期なのだろうなぁ」という理解だけは、していたのです。

やがて私は、三十五歳を迎えました。その途端、私はハタと、もう大人になることから逃れられないということを理解しました。四捨五入すると、自分の年齢は四十歳。四十歳にもなって、「私、まだ大人じゃないんですぅー」っていうのは何だかとっても恐い、と思ったのです。

つまり私が三十五歳でなった「大人」というのは、精神的に成熟していった結果として到達した地点ではなく、年齢によって自動的に与えられた役割、のようなもの。あらゆる手を尽くしてそこまで逃げまくっていたけれど、とうとう追いつかれたか、という感覚です。

周囲を見てみると、同年代の友人達も、

「私、そろそろ大人になろうと思うの」

「今年が私の成人式っていうことにしたわ」

などと言っているではありませんか。結婚や出産によって、否応なしに大人にならされる人と違い、独身のままで歳をとっていく人々は、様々な紆余曲折《うよきょくせつ》を経た結果、だいたい三十五歳頃に「私は成人したのだ」という結論を自分で出すようになるらしい。ここに私は、「三十五歳成人説」を確信することとなったのです。


私も、三十歳の時点で、大人になることに対して何も感じていなかったわけではありません。成人意識というものがあるとするならば、三十歳になった時点で、その片目だけは開いていたのです。

しかし私は、三十歳の時点で、

「大人になれ!」

と鳴り響いていた〝成人目覚まし〟を、片目だけ開けてうざったそうに見つめ、即座にオフにしてしまった。そして「ああ、起きなければいけないなぁ……」という意識を脳の片隅に置きつつも、半眼状態で、いぎたなくまどろんでいたのです。


三十五歳における成人意識というのは、「もういい加減起きないと、間に合わない!」と、ベッドからいやいや身を起こすようなもの。今の私は、あまりに寝すぎたせいで、もうこれ以上は寝られないのはわかっているとはいうものの、どうにも動きは鈍い……という状態なのです。

このままでいったら、日本人が大人になる時期はさらに遅くなってしまうのではないか、という危惧もあるかと思います。しかし私は、そうはならないと思う。

誰もが元気に百歳くらいまで生きることができれば、そして女性が普通に出産できる年齢が五十代半ばまで引き上げられれば、大人になる時期はもっと後にずらすことができます。四十五歳成人説、五十歳成人説も夢ではないでしょう。が、革命的な医療技術の進歩がない限り、それは難しい。

もう一つ、不景気の問題もあります。私が「三十歳成人説」を読んだ八〇年代後半、世の中は、後年バブルと言われる未曾有《みぞう》の好景気に沸いていました。景気が良かったからこそ、

「大人になりたくなアーい」

などと悠長なことをいつまでも言っていられたという事情もあり、バブル期に青春を過ごした私の年代が、その気分だけをバブル崩壊後もひきずっていった。

対して今の若者は、実感としてバブルを知りません。子供の頃から世の中は不景気で、日本という国は一流でも立派でもないという自覚を持っている彼等は、「マ、どうにかなるっしょ」的な甘えを持つことを許されなかった。「日本」とか「大きな会社」といった、かつては安心して頼ることができた存在を知らない彼等は、早いところ大人にならないと、食べていくこともままならないのです。

実質成人年齢は、現在の三十五歳をピークとして、これからは低下していくにちがいありません。となると、三十五歳でやっと大人になった私のような者は、大人でありながらも大人歴は異様に短いという、社会のおちこぼれになる可能性、大。

唯一救いなのは、大人の世界にどっぷり浸っていなかったせいで、鷹揚《おうよう》に構えるフリだけはいまだ長《た》けている、ということ。二十歳そこそこで既に大人の若者を相手に覚える〝負け犬感〟もまたオツなもの……と、とっちゃん坊やならぬ〝おばちゃん嬢ちゃん〟の私は、思うことができるのでした。

負け犬と少子化

実は私、平成十四年のはじめから、厚生労働省の「少子化社会を考える懇談会」というもののメンバーをやっておりました。なぜ私のような者にお声がかかったのかというと、おそらくは以前に『少子』という本を書いたせいだと思うのですが。

この懇談会はその名の通り、止まらない日本の少子化を改善していくためにはどうしたらいいのかを考える場。厚生労働省が作成した懇談会のメンバー表を見ると、人口学、家族社会学、経済学、児童福祉……と、様々な分野から、専門家の方々が参加しておられます。

では私はどのような分野の人間としてカテゴライズされているのだろうか、とその表を見てみると、「子育て中・子産み・独身」という表記のところに、私の名が。そしてそのカテゴリーに属している人々は、私以外は子育て系のNPOを主催なさっている方や、お産の改善運動をなさっている方だったりという、つまりは子持ちの人。

〝するってぇと……〟

と、私は思いました。私は「独身」代表ということなのか。その他のメンバーである学者さん達のお話を聞いても、皆さん結婚し、子供を持っている方ばかり。つまりその懇談会の中で、完璧な負け犬は私一人だったのです。

私はこの人選を見て、まず理解しました。日本の少子化は晩婚化と深く結びついている問題であるわけですが、

「晩婚化や少子化は、女のせいで起こっている問題である」

つまりは、

「結婚や出産は女の仕事。女が結婚しなかったり子供を産もうとしないから、子が減るんだよっ！」

という意識が世の中には存在する、ということを。だからこそ、この懇談会のメンバーには、オスの負け犬が含まれていないのだ……。

懇談会は、いつも粛々《しゅくしゅく》と進行しました。皆さんが、それぞれのお立場から専門的な意見を述べていらっしゃるのに比して、私は発言らしい発言を、ほとんどできなかった。それというのも、

「えーと、出産って痛いんで、産みたくないんですよね」

とか、

「戦争とかテロとか、その手の非常事態になれば、日本も子供が増えると思うんですけど」

といったバカみたいな意見を言える雰囲気ではなかったのともう一つ、それは途中で気

付いてしまったことなのですが、私自身がどうやら、「どうにかして少子化を改善したい！」とは、切実に思ってはいなかった、からなのです。

もちろん少子化が何となく良くないことだというのはわかりますし、子供は可愛いし、産むという人には頑張れと言いたい。が、改善する方法を考えずにはいられないほど、私はその状態を憂えてはいない。むしろ心の中では、〝どんどん進め〜〟という、恐いもの見たさ半分の気分があったりもする。

そんなわけで、ちょっとした「生きててすいません」気分を覚えながらも、珍しいものを見てみたいというスケべ心もあって参加していた、懇談会。その会から、平成十四年の九月に「少子化対策プラスワン」——少子化対策の一層の充実に関する提案——というものが出され、厚生労働大臣から総理大臣へと報告されたわけですが、この内容を見てみると、私共負け犬というのは、今の日本の少子化対策からとり残されている存在だということが、おわかりいただけるでしょう。

この提案における四本の柱は、

- 男性を含めた働き方の見直し
- 地域における子育て支援
- 社会保障における次世代支援
- 子供の社会性の向上や自立の促進

ということになっています。

つまり、男性も会社から早く帰れるようにしたり、地域で子育てを手助けしたりすることで、今現在、子育てをしている人を助け、女性が仕事と子育てを両立しやすいようにする。

さらには社会保障制度をもって、子供とその家庭に対する配慮を行い、子産み・子育てという作業に「損な感じ」が漂わないようにする。

また、将来親となる世代、つまり今の子供達をうまく教育することによって、彼らが大人になった時に、素直に子産み・子育てができるようにする。

……とまぁこういうことなのですが、負け犬としてこれを読んだ時に気付くのは、「現在、大量発生している負け犬をどうするかという対策は、何もない」ということです。

子育て支援や社会保障云々ということは、今現在結婚しているけれど子供がいない人や、一人は産んだが二人目はどうしよう、と思っている人にとっては魅力的な対策でしょう。そして将来のことを考えるならば、子供という存在や家族というものに対する拒否反応を起こさないように、子供のうちから教育するのも、大切だと思う。が、今現在この時点で負け犬である、という立場の人には、その対策は直接的に響いてこないのです。

子育て支援や社会保障を充実させ、楽しそうに子育てをする人が増えれば、負け犬もそんな人達を見て、〝ああ、子育ても悪いものではないのだな〟と思うようになる、という効果はあるとは思います。が、そこまでいくにはだいぶ長い時間がかかる。効果が出るのを待っていては、現時点で既に負け犬という人はもう、おばあさんになってしまいます。

懇談会の最中には、大量発生している負け犬を、国としてもどうにかした方がいいのではないかという意見も出ました。おそらくはシンガポールにおける、国が主催して行なうお見合いパーティーのようなものを日本でも……ということがそこではイメージされていたと思うのですが、しかしその意見は「少子化対策プラスワン」においては反映されていなかった。

というわけで、日本全国の負け犬の皆さん。皆さんがいくら「結婚したいけれど相手がいない、どうしたらいいのだ」、と息巻いてみても、国はあなたを手伝ってはくれないし、面倒も見てはくれません。皆さんは自分の力で、自分のことをどうにかするしかないのです。

私という負け犬が懇談会の末席を汚していながら、そのような結果になったことは、負け犬の皆さんには誠に申し訳なかったとは思います。が、負け犬本人が、

「えーっと、私達負け犬のために、国が主催してお見合いパーティーをやっていただくとよいのではないかと……」

などと発言するのもすさまじく、さらにはそんなことをやってほしいとも思ってはいなかったりする。

では何か他に、国ができるような負け犬対策が存在するのかと考えてみると……、私には、どうも思い浮かばないのです。だってそれは、法律や規制でどうにかできる問題ではないような気がするから。

結婚もせず子も産まず、という負け犬がなぜ現代、大量発生しているか。まず、統計的に見て理解できることは、高学歴の女子と低学歴の男子が余っている、ということです。それはいきおい、高収入の女子と低収入の男子が余っているということにもなります。

実際に自分の周囲を見てみても、高学歴で高収入、なおかつ見た目も悪くないというメス負け犬がぞろぞろといるのに対して、高学歴高収入で見た目も悪くないというオス負け犬は、ほとんどいない。

なぜこのような現象が起こるのかというと、伝統的に日本の男性は、自分より色々な意味で「低」な女性を好むからだとされております。これを専門用語では低方婚と言うらしいのですが、学歴、収入、身長といった条件が、たとえほんの少しであっても自分より「低」である女性と一緒にいる方が、男性は安心する。逆もまた真ということで、自分よりも様々な面において「高」な男性を、女性は好む。

すると結果的に、全般的に「高」な女性と、全般的に「低」な男性は、相手がいなくて余る、ということになります。

その結果として増えてきたのが、「高」な女性が窮余《きゅうよ》の策として踏み切る低方婚、です。自分より「高」な独身男性などこの世にはもういないということに気付いた時には年齢も「高」となっていた「高」女性が、ほとんど中年の男性が若い娘を可愛がるのと同じメンタリティーをもって、自分よりうんと年下でキャリアも無い男性と、結婚する。このような例も、世間には実に多いのです。

しかし、全ての女性が低方婚に向いているわけではありません。女性が低方婚をするには、「低」男性を包み込むことができるだけの、経済力と度量が必須。そうでない場合は、「低」男性と付き合うくらいなら既婚「高」男性と付き合った方がまだマシと不倫に走るか、配偶者と離婚、もしくは死別した〝二巡目〟男性を発見するか、もしくはブツブツ文句を言いながら、ただ漫然と余りゆくしかないのです。

さらに言えば、女性が余りゆく理由は、〝いまだに男性が低方婚を望むから〟だけではありません。かねてより私は、自分の知らないどこかに、結婚をしていない男子ばかりがゴソッと余っている秘境が存在しているのではないかという疑いを持っていたのですが、その解が得られたような気がした瞬間があったのです。

それはある日曜の夜、私が実家で夕食を食べてから、自分の家に帰ってきた時のことでした。一人で道を歩いていると、前方から一人の男性が歩いてきたのです。彼は、歳の頃は私と同じくらい。見るからにおたくとわかる風貌で、秋葉原のイベントの帰りなのでしょう、手に下げた紙袋には、丸めたポスターが入っています。

そして彼とすれ違ったその瞬間、私はハタと理解したのです。

「今、日本で余っているのはつまり、日曜の夜の道を一人で歩く私みたいな女と、このおたく君みたいな男なのだ！」

ということを。

おたく君というのは、ゲームやアニメ上の女子や、チビッコ女子に対して「萌え」を感じる生きものであって、現実の女子を具体的にどうこうしたいと思う人達ではありません。

そんなバーチャルな世界だけで異性との交わりを済ませるおたく君。対して、こちらにいるのは、現実的欲望を有り余るほどに持っている、三十女。

「高」な女子と「低」な男子は、女子側が低方婚に違和感さえ感じなければ、まだカップリングも可能です。しかし、「高」な女子とおたく男子の組合せは、どうにもこうにもやりようがない。アニメの美少女に「萌え〜」としているおたく君は、まかりまちがっても三十女とデートなどしたくないだろうし、三十女としてもおたく君と一緒にイタリア料理屋に行って、生のポルチーニと乾燥ポルチーニの味わいの違いについて話す気には絶対になれない。

女子の側は、

「あなたは理想が高すぎる」

などと周囲の人々から言われながらも、実はヤル気はまんまん、なわけです。対して男子は、既にナマの女性と相対する気分など失ってしまっている。それなのに、

「女が結婚もしないし子供も産まないからいけないのだ！」

と言われてもなぁ……。

結婚や出産に対する意欲をいくら女子が燃やそうとも、相手がいなくてはそれは今のところ、できないのです。それでも日本国として子供を増やさねばならないのだとしたら、

生身の男性がそこにいなくとも出産が可能になるシステムを、そろそろ確立した方がいいような気がしているのですが。

追記

その後、日本の少子化対策には変化の兆《きざ》しが見えている。従来の子育て支援の他に、不妊治療の助成、さらには「出会い推進」計画に対する補助金を出す等の条令案があるという報道が、平成十五年には一部新聞でなされた。

仕事と子育てが両立しやすい環境を作ることによって子供を産みやすい社会へ、ということを目指した今までの日本の少子化対策。しかし一向に回復する気配の無い少子化に業を煮やした政治家や役人が、「もっと思い切ったテコ入れをやらなきゃ駄目だろうこれは!」と、国民に結婚・妊娠をけしかけようとしているものと思われる。

こういった国の態度に「国が介入するようなことではない」と批判的な人も、もちろん多い。が、私は「無駄のような気もするが、やらないよりはいいだろう」と思う者。エエ格好しいの負け犬達をいかに官製お見合いパーティーに参加させるかは、大きな問題ではあるが……。

というわけで、負け犬の皆さん。にっちもさっちもいかなくなった時は、国が助けてくれる可能性も、将来的には無きにしもあらず。「アタシは自分の力でみつけてみせる」などと意地を張らず、「アタシを結婚させられるものならやってみろ」と、日本国の深ーいお慈悲に、身を任せてみるのも、また一興ではなかろうか……っと。

負け犬と都会

負け犬は、都会の生き物です。

統計で見ても、男女ともに負け犬率が圧倒的に高いのは、やはり東京。以下、京都、福岡、大阪と都市部が続いている。

都会に生息する負け犬をその出自で見ると、都会で生まれ育った地場負け犬と、地方から都会にやってきた外来負け犬との二種類に分けることができます。互いの性質は多少異なるものの、同じ負け犬同士ということで、おおむね仲良く共存している両者。異なる種の負け犬が共存することによって、都会の負け犬文化はますます繁栄していると言っていいでしょう。

両者の特徴を見ていくと、まず地場負け犬とは、都会に実家があり、都会で教育を受け、都会で働いてそのまま負け犬になった、というパターンの人。都会と地方を比べた時、地場負け犬が育ち易い土壌《どじょう》が、確実にあるのです。

なぜ都会では地場負け犬が多いのかといえば、地元意識が希薄という土地柄のせい、と言うことができます。

「世の中、人それぞれ。隣にどんな人が住んでいるのかはわからないし、どんな人がいてもいい」

という姿勢が浸透している都会においては、「二十代後半になって結婚していないのは恥ずかしい」という意識はありませんし、従って、

「皆が結婚するから私もしたい」

という気持ちにもなりにくい。外圧による結婚が成立しにくいが故に、地場モノの負け犬が日々、大量生産されているのです。

地場負け犬の特質は、「なんだかんだ言ったところで、のんびりしている」というところでしょう。結婚もせず子も産まずということで、「将来、大丈夫なのかなぁ」という漠然とした不安はある。しかし親は近くに（もしくは一緒に）住んでいるし、子供の頃からの友達や知り合いや親戚も、周囲にたくさんいる。親の家や土地もあるので、「イザとなってもまぁ、なんとか生きてはいけるか」という気持ちを持っているのです。

地場負け犬の敗因は、そののんびりとした気分そのもの、です。高学歴で高収入の女性、つまり他人に頼らずに生きていける女性ほど負け犬化し易いわけですが、地場負け犬はその上、親だの実家だののまでが近くにあるから、ますます他人に頼る理由がみつからない。

「結婚していないことは確かだけど、仕事も家もお金もあるし、友達も家族も近くにいるから寂しくないし、おまけにその友達もみんな結婚してないし、親にだって結婚しろなん

て言われないし。何となくこのまま生きていけばいいかしらね」と思いがちなのです。客観的に見れば相当に切羽詰《せっぱつ》まった状況に置かれている負け犬なのに、本人がちっとも事の重大性に気付かないため、結婚に至ることがない。ではもう一種の外来負け犬は、どのような特質を持っているのでしょう。外来負け犬とは、大学進学や就職を機に都会に出てきて、そのまま結婚をせずに負け犬になった、という人々。

彼女達についてはまず、故郷から都会に出てくるという行為を選んだ時点で、負け犬質を既に持っていたと言うことができます。地元を離れ、都会の大学なり職場なりに出てくるということは、「安定」や「堅実」や「人並み」といった言葉よりも、「自由」や「個性」や「可能性」といった言葉を好む傾向を持つ、ということ。十八歳やそこらで故郷と家族を離れて都会へ来るという選択をする女の子が、素直に勝ち犬の道を進むとは土台、考えにくいのです。

ホームを離れた彼女達は、言わばアウェイで生活しているわけですから、仕事をする時も恋愛をする時も、のんびりというわけにはいきません。自分の力で生き抜かねば、というガッツを持っている。が、日本人男子というのはガッツを持っている女子という存在に対して腰が引けがちな生き物であり、その辺りは、彼女達が負け犬化してしまう一つの要因となっているようです。

彼女達はよく、

「地元の女の子の友達で結婚していないのは私だけ」

とか、

「田舎の高校の女子の同級生の中で、今でも仕事してるのは私とあともう一人、小学校の先生してる人くらいかなぁ……」

とつぶやきます。晩婚化や少子化が進んだとはいっても、保守的な地方において、女が年頃になったら結婚して子を産むのは当たり前のことなのです。

彼女達にとって、実家に戻るのは一種の苦行です。

「女が三十歳を過ぎても結婚しないで仕事を続けてるなんて、ウチの地元からしたら異端もいいところだから、実家に帰っても親から『恥ずかしいから、あまり家から出るな』とか言われるのよ」

とつぶやく彼女達の苦労は、私のような地場負け犬にはわからないものであろう。

なんでもアリの土壌であるが故に、地場の負け犬が大量発生。加えて、「田舎の高校のクラスで一人しかいない」負け犬達も、日本中から集まってくる。都会はまさに、負け犬の坩堝《るつぼ》です。

都会は、そんな負け犬達に実に優しいのです。どんなに洒落たレストランであろうと、外国とは違って、女同士で入っても白い目では見られない。「女性一人でも気兼ねなく食事ができる」という触れ込みのお店も（本当に気兼ねなく食事できるかどうかは、本人の性格次第だが）、情報誌では特集されている。和食だって中華だってインド料理だって、テイクアウトのデリがあるし、どんなに遅く地下鉄やタクシーに女一人で乗ろうと、恐くはない。

寂しくなったら、深夜でも開いている本屋さんや映画館やカフェへ。疲れたら、アロマテラピーにリフレクソロジーに気功にロミロミ。退屈したら、劇場やお稽古教室やスポーツジムやドンキホーテ。ハード面における負け犬対策は、完璧なのです。

ソフト面においても、都会は負け犬に向いています。まず、都会は負け犬を放っておいてくれる。別に負け犬でなくとも、ホモでもレズでも無職でもおたくでもひきこもりでも、あらゆる弱者や異端者に干渉することなく「まぁ、そういう人もいるよね」と生存させてくれるのが、都会というものです。

都会には仲間がいるというところも、負け犬にとっては（同じように、その他の弱者にとっても）有り難いところです。たとえ田舎の友達は全員結婚していたとしても、都会にさえいれば同類は大勢います。高校時代の友達と疎遠になっても、都会で新しい負け犬友達を作ればいいのであって、都会にいる時は、「私は、一人ではないのだ」と負け犬は信じることができる。

ゲイの人達には新宿二丁目があるように、負け犬ばかりが溜まっている場所も、都会には存在します。女性が多く活躍するような職場、たとえばマスコミ関連業界においては、石を投げれば負け犬に当たるという状態。上司も部下も負け犬なので、自分が負け犬であることを引け目に思う必要もない。ま、ふと「こんな負け犬だらけの職場にいて私の未来は大丈夫なのか」と不安に思うことはあれど、負け犬差別は、そこにはありません。そしてそんな人達が仕事を終えてから港区のイタリアンレストランに行けば、流行の服を着てシェフと親しげに口をきく負け犬で満員。

都会は意外と、同性同士ばかりがいる場所が多いのです。昼のフレンチレストランは、ランチを楽しむ奥様ばかり。夜の新橋には、サラリーマンしかいない。日本人の場合、恋愛だのデートだのに精を出すのは人生のほんの一時期のみであり、放っておけば同性とのみ付き合いたがる傾向を持つ民族であるということがよくわかります。女ばかりのレストラン、男ばかりの飲み屋といった風景を眺めていると、「これじゃ日本も、滅びるわなぁ」と思えてくるのです。

都会が負け犬の温床になっているのは、日本ばかりではありません。「負け犬ストーリー」の項で後述する「ブリジット・ジョーンズの日記」はロンドン、「アリー・myラブ」はボストン、そして「セックス・アンド・ザ・シティ」はニューヨークが舞台であって、負け犬病は都会における風土病であることが理解できるのです。

しかし日本の都会における負け犬事情が、それら欧米都市の負け犬事情とは決定的に異なるのは、カップル文化の有無という部分なのだと思うのです。ブリジットやアリーやキャリーの生きざまが、ロンドンやボストンやニューヨークにおいてドラマになり得るのは、その都市には確実に、カップル文化が存在するから。大人になったら男女のつがいで行動するのが当たり前、という常識が背景としてあるからこそ、負け犬達の悲喜こもごもが浮き立つのです。

対して日本には、カップル文化は存在しません。カップルで行動するのが一番楽しい、と思っている人は少数派で、「でもやっぱり、同性同士でいるのが一番ラクだし楽しいかも……」と思う人が多い。つがい行動が人間としての基本という意識は、日本人には無いのです。

「ブリジョン」には、ブリジットがロンドン郊外の実家に戻った時、「まだ結婚しないのか」的な攻撃を受けるというシーンが記載されています。ブリジットが田舎において感じる負け犬感は、日本人と同様のものなのです。が、彼女は周囲中がつがいだらけという都会においても、負け犬感を覚え続けなくてはなりません。

その点日本の負け犬は、都会にさえ逃げ込めば、庇護されることができます。「やっぱり同性同士の方がわかりあえる」と思っている軽《かる》ホモ・軽《かる》レズが、街には溢《あふ》れている。恋愛や性行動や結婚といった行為に対する欲望が負け犬に無いわけではないけれど、その欲望よりも「アー面倒臭い」という思いの方が、時に強かったりする。カップルでなくては人に非ず、という思想も無いので、何が何でもつがいを作らねば、という気持ちにもならない。

東京は、してみると世界に冠たる負け犬の都、と言うことができるのでしょう。ブリジョンやアリーのような負け犬ドラマは生まれづらいけれど、東京という負け犬保護区域において、私達は非常にのびのびと振る舞うことができる。

負け犬を甘やかし、野放しにするから少子化は進み、風俗は乱れるのだ、というご意見もあるかもしれません。が、負け犬は都市文化発展の主なる担い手でもあるのです。

負け犬は、生きることに汲々《きゅうきゅう》としなくてもいい生き物です。明日の米とか子供の教育といったことよりも、厚手のリネンのテーブルクロスの入手方法とかクロールの美しい泳法といった、「そんなの知らなくても死なないだろう」ということにばかり、興味を持つ。

青森県の漁港でほんの一時期しか水揚げしない珍しい魚が寿司屋で食べられるのも、決してメジャーヒットはしないであろうヨーロッパの小国で作られた地味な映画が見られるのも、深夜においしいフレッシュハーブティーが飲めるのも、負け犬が都市文化を底支えしているからなのです。

そればかりではありません。負け犬は慈善事業も、嫌いではないのです。子供を産んでいない罪悪感を埋めるためか、はたまた暇なだけか、ちょっとしたボランティアをしたり、NPOを立ち上げてみたりする。負け犬は決して贅沢な文化や隙間文化だけを享受しているわけではなく、生活に汲々としている人々には気付かない、そしてできないことを担っているのです。

不景気が続くと、さしもの〝独身貴族〟も一人では心細くなって婚姻数が増加し、少子化にも歯止めがかかるのではないか、という予想がされたことがありました。しかし不景気は続いていますが、晩婚化や少子化が止む様子はありません。景気が下り坂の時期は、同時に文化の爛熟《らんじゅく》の時期なのだと言いますが、爛熟の空気は負け犬達の感覚とぴったり一致し、ちっとも居心地が悪くないようなのです。

負け犬都市、東京。オスの負け犬であるおたく達が培《つちか》ったアニメが今や日本を代表する文化であり輸出品となっていることを考えると、私達負け犬も、歳をとってから下手に一人とか子供を産むよりも、負け犬文化のますますの発展を考えた方が、お国の為にはなるのかもしれません。

負け犬と住居

二十代の終わりに私が一人暮らしを始めようとしている時、とある男性から、

「実家があるのに女の子が一人暮らしをするのは絶対に良くない。一人暮らしをしたいのだったら、ウィークリーマンションでも借りて、気が済んだらまた実家に戻ればいいではないか」

と言われたことがあります。

その時は、

「なーに言ってるんだ」

と聞き流して一人暮らしを始めた私ですが、今になってみるとその発言の真意がよくわかります。その発言の主は「人生、勝ってナンボ」の真性オス勝ち犬でしたので、彼はその時、

「独身の女が一人暮らしなんかすると、負け犬になっちゃうよ」

と言いたかったのだと思う。

勝ち犬が考えることって本当に正しいのだなぁ……とつくづく感心しますが、彼の予言

通り、立派な負け犬となった私。

　では私の負け犬化の原因が一人暮らしにあるのかといえば、そうとも言い切れません。私が一人暮らしをする決意をしたのは、二十八歳の時。今の私から見ると、その年齢で一人暮らしを始めようと思うこと自体に、豊かな負け犬質を感じます。

　勝ち犬的素養が少しでもあるのならば、二十八歳で未婚という時点で、自分に対するあせりが少しでもあっても良さそうなものです。しかしその時の私は、まるで十八歳の少女のように、

「一人暮らし、キャーッ楽しそう！　家具はどうしよう。カーテンは？　食器は？」

　と、うきうきしていた。

　負け犬仲間達を見てみると、私のように二十代後半で一人暮らしを始めるのはとても遅い方なのです。若い頃から負け犬質的なものを自覚していた人達は、東京に実家があっても、大学に入った時とか、社会人になった時などに独立を果たしている。

　一人暮らしを始めた当初、既に一人暮らし歴が長い年上の独身女性の友人は、とても歓迎してくれました。

「これであなたもやっと本当の仲間になれたっていう感じね、おめでとう！」

　と。その発言も今思えば、

「負け犬の世界へウェルカム！」

　という意味であったことがよくわかる。してみると私にとって一人暮らしの開始とは、

勝ち犬世界との完全な決別、及び負け犬世界への本格参入の始まりの時、ということになるのでしょう。

負け犬はしかし、一人暮らしをする人ばかりがなるものではありません。一人暮らしをするような独立心旺盛な負け犬というのは、負け犬の歴史を見てみれば、古典的なタイプ。昨今は、ずっと実家に住み続ける負け犬、いわゆるパラサイト・シングルが増えています。つまり、

「勝ち犬になりたいのであったら、一人暮らしなどしない方がいい」

というアドバイスは、今や通用しない。仲の良い家族と一緒に実家で楽しく暮らしていても、負け犬になる可能性はいくらでもあるのです。

独居負け犬と、パラサイト負け犬。同じ負け犬ではあるもののその住居形態の違いは、負け犬としての立ち位置の違いを表します。それぞれが歩んだ負け犬への道とその行き先を、見てみましょう。

まず独居負け犬から言えば、「あまりにも自由すぎるが故に男関係が長続きしない」というところが、負け犬化最大の原因でしょう。一人暮らしの女というのは、とても自由に異性との交遊を楽しむことができます。男性が泊まりたいと言えば泊まらせ、そのまま半同棲→同棲へも簡単に進む。しかしそこまで簡単に進む分、終るのも簡単です。どちらかが、

「あー、うぜぇ」

と思った時は、すぐに別れが訪れる。また独居負け犬のマンションは、家庭を持つ男性が通ってくるのには非常に好都合な場所であり、不倫の温床ともなりがちです。

いずれにせよ、その住居にすぐに男が転がり込んできてしまう上に出ていくのも自由、という部分が、独居負け犬を結婚から遠ざける最大の原因です。そんな自由な生活をしているうちに、「一人の男と一生ベッタリ一緒に住み続けるなどということが私にできるわけはない」という確信も生まれる。

「この部屋に何人の男が来たことがあったたっけかねぇ……」

と、日曜の午後にシーツなど取り替えながらふと、指折り数えてみたりする負け犬なのです。

独居負け犬の住居は、非常にきちんとしています。稼ぎはそこそこあるので、貧乏アパート暮らしというわけではない。片付けられない女というのが増えているようですが、

「片付けられない負け犬っていうのはあまりにもすさまじいだろう」という自覚もあるので、部屋の整頓《せいとん》もされている。インテリアの趣味も、悪くはない。

「負け犬として生きていく以上、家だけはちゃんとしていないとミジメ」

と彼女達は思っており、当然、ピッキングとハチ合わせして惨殺されないように安全対策も怠りません。

中には仕事で大成功して豪華マンションに住む負け犬も、います。が、あまりにも素敵

な住居に独居する負け犬は、それはそれで荒涼とした気分になるのではないか、という危惧もあります。ヨーロッパ製のシステムキッチンにカッシーナの家具、寝室にはウォーターベッドがあってお風呂はジェットバスという生活は確かに快適だろうが、完璧な住居に独りで住む分、かえって、そこに何が欠けているのかをクッキリと浮き彫りにしてしまうような気がしてなりません。

独居負け犬が快適に暮らすことができる住居の条件というのは、すなわち整頓・安全・中庸の三つ。外出から帰ってきて家に灯りがついていなくとも、灯りがついていないことに負け犬はホッとする。その直前まで楽しいデートをしていたとしても、自分で鍵を開けてしーんとした部屋に入った瞬間、

「ああ、やっと一人になれた!」

と、快哉《かいさい》を叫ぶのです。

独居負け犬は、自らの独居生活を楽しいものにしていくために、様々な工夫をこらします。ご飯がおいしく炊けるからと、一人用の土鍋を愛用したり。観葉植物に名前をつけて愛《め》でてみたり。サイドボードに、実家のペットや死んだ祖父母の写真を並べてみたり。それは、小さな幸せでつぎはぎされたパッチワークのよう。

そのパッチワークの重要な一部となる存在が、猫です。自分のことばかり考えて生きている負け犬は、年齢なりの「他者のために何かしたい」という欲求を持っているものですが、だからといって結婚したり、シングルマザーになるのも大変そう。そんな時、負け犬

の欲求を手軽に満たしてくれるのが、猫。猫を愛で、猫のために早く家に帰ったりすることによって、「他者のため」欲求は適度に充足されるのです。

世の中には「負け犬が猫を飼いだしたらもうおしまい」という定説もあります。女が一人で猫を飼うようになったら結婚など無理だというのです。が、三十代前半まではそんな定説を信じて猫飼育を我慢していた負け犬も、後半になってくるとどうでもよくなって、
「猫ごと私を受け入れてくれる人でないと、もう付き合えない」
などと言う。

猫以外にも、犬や猿やミニブタや熱帯魚など、負け犬のパートナー・アニマルは様々。男性という生き物を理解することにほぼ諦めを覚えている負け犬にとっては、物言わぬ動物の方がよっぽど伴侶として適役なのです。

猫も飼いたいし、自分の好きなように住みたいし……と考えた時に次に出てくるのは、マンション購入問題です。猫問題と同様、「負け犬がマンションを買ったらもうおしまい」という定説もあるわけですが、やはり既に負け犬にとって、そんな定説などどうでもいい。
「猫と持ちマンションごとの私を好きと言ってくれ」
と、ますます自分の陣地をガッチリ固めるのでした。

どんどん開き直っていくことによって縁遠さも増していく独居負け犬に対して、パラサ

イト負け犬は親と同居している分、慎重です。そしてパラサイト負け犬の場合、その慎重さこそが、縁遠さの一因となっている。

まだ二十代前半のお嬢さんであれば、

「家は？」

と異性に聞かれた時、

「世田谷です。親と一緒に住んでるの」

というのはかなりウケの良い答えだと思うのです。男性は、「ああ、ちゃんとした娘さんなのだな」と思うことでしょう。が、三十歳を過ぎた女性の口から、

「世田谷です。親と一緒に住んでるの」

と言われると、男性にとってはちと重い。ちゃんとしているのは悪いことではないのだが、ある程度の年齢になったら、少しは「ちゃんとしていない」部分が見えた方が、人間としてのバランスはとれるというもの。生まれてから三十余年、親御さんに大切に守られてきた「ちゃんとした」部分が、そろそろ腐臭を発してきているのです。

パラサイト負け犬はそんなわけで、普通の恋愛にはあまり向いていません。男性が遊び気分で手を出そうにも、彼女の背後には両親の顔が見え隠れします。すぐに結婚とか言い出しそう……と、手を引かれてしまいがち。世の中のお付き合いの大半が遊び半分から始まるものであることを考えると、これはかなりの損失と言うことができましょう。

異性との付き合いがもし始まったとしても、

「今度の週末は母親と一緒に温泉に行かなくちゃいけなくて」

といった話題が多く、また二人で旅行をするにしても、いまだに親に嘘をつかなくてはならない。親を背負ったパラサイト負け犬は何かと男を萎《な》えさせがちであり、彼女は「親と同居」が「ちゃんとしたお嬢さん」の条件となり得るお見合いの世界に、活路を見いだすことになるのです。

独居負け犬の軽さと、パラサイト負け犬の、重さ。両方とも、勝ち犬から見れば「いかがなものか」という状況なのだとは思います。が、両者にとってそれは、自然の流れの中で築いてきた心地よい状況。

「結婚をしても、今より快適に暮らせるわけでもなさそうだし……ねぇ」

という気分は、変えられるものではありません。

独居負け犬もパラサイト負け犬も同じく不安に思うのは、老後の住居についてのことです。自分が産んだ子供に面倒を見てもらうという目は、ほぼなかろう。しかし老人になって仕事もなくなり親も死んだ時、ずっと一人でいるのは寂しかろう。

そんな時、負け犬達の心の支えとなるのは、グループホームという考え方です。つまり、立場を同じくする者同士が一つの建物に住み、老人ホームよりはプライバシーが守られ、イザという時には寂しくない、というもの。

私も今、将来のグループホーム構想を負け犬友達とよくします。先日も、負け犬物書き

仲間（失礼）である鷺沢萠《さぎさわめぐむ》さんと、

「ウィーンには、老いた音楽家達の家、というものがあるそうだ。老いた負け犬物書きの家、というものを作るのはどうだ？」

　という話になりました。

「みんなの蔵書は一つの部屋に集めて書庫としよう」

「お風呂は大きいのが一つあればいい？」

「いや、やっぱりお風呂は個別のものがあった方が」

「みんなが集《つど》えるようなパティオも欲しい」

「そこでガレージセールやったりして」

「男子の入室は？」

「そんなもん、可！　可！」

　……等々、アイデア噴出。それはまるで高校時代、

「大人になってお互い仕事を持ったらさぁ、一緒に住まない？」

「土曜のブランチはテラスでパンケーキとか食べようね」

「洋服の借りっことかもできるね！」

　などと友達と授業中にしゃべくり合っていたような楽しさ。

　グループホーム計画は、高校時代のルームメイト計画と同様、実現の可能性は定かではありません。しかしああだこうだと理想の老女郷を考えていると妙に精神が高揚し、「負

け犬でよかった」とすら思えてくるのです。

今、実際に機能している施設も、あるのです。それはたとえば、中伊豆の「友だち村」。駒尺喜美《こましやくきみ》さんという七十代の女性が、かつて住んでいた同潤会大塚女子アパートの良いところを生かして造ったという共同住宅であり、趣旨に賛同した高齢女性が三十四人、住んでいます。緑の中の落ち着いた佇《たたず》まいは洒落たマンションのようであり、こんな所に老後住めたら素敵だろうなぁ、とも思う。

またある時、私が東北の山奥にある湯治場を一人で訪ねた時のこと。温泉に浸かっていると、麓《ふもと》の村から湯治に来たというおばあさん達に、

「お昼でも一緒に食べよう」

とナンパされました。おばあさん達は六人で、村の厚生施設である一軒の家で一ヵ月、自炊しながら湯治しているのだとのこと。

リーダー格のおばあさんAは私の話をしきりと聞き出し、テレ屋のおばあさんBは恥ずかしそうにしながらお茶を勧めてくれ、料理自慢のおばあさんCは、せっせとお昼のおかずを作ってくれ……と、おばあさん達はそれぞれの役割を担いつつ、暮らしています。手作りのおかずや漬物がドッサリ並んだお昼が終ると、布団が敷いてある別の部屋に移動して、すぐさまおやつ。

「こーんな風にして、温泉に入ってなんか食べておしゃべりして、また温泉に入ってなんか食べておしゃべりしてると、すぐに一日は終っちゃうよぉ」

と、おばあさん達は言っていた。

過去の悪業も恥も悲しみも情熱も、もうクタクタに煮しまった老女同士、助け合っての生活。何だかとても楽しそうだなぁと、東北の老女達を見て私は思った。

しかし老いてなお、完全なる孤独をどこかで求め続けそうな自分がいることも、否定できません。共同生活にはつきものの煩《わずら》わしさを嫌って、寂しさ覚悟で一人暮らしの孤独渦の中に居続ける可能性も、おおいにある。

自分が何かに縛られてしまうことが恐いから、結婚もせずマンションも買わず、いつでも逃げられるようにして生きている私。老境に入って後、逃げ場のないグループホーム生活に落ち着くことができるのか……?

理想のグループホーム作りに燃えるか。それとも、一人暮らしを続けて、最後までたっぷりの孤独とたっぷりの自由の中で、生きるのか。……いずれにしても負け犬生活のハイライトは老いてからにあり、なのだとは思います。

コラム

・負け犬ストーリー

世界的に「負け犬ストーリー」がブームらしい、昨今。私が初めてこの分野の存在に気付いたのは平成十年、神田の三省堂書店で『ブリジット・ジョーンズの日記』、略して「ブリジョン」を手にとった時に始まります。

この小説の主人公であるブリジット・ジョーンズは、ロンドンに住む三十代で独身の働く女性、つまり私が言うところの「負け犬」。編集者だったものの上司との恋愛に破れた後、テレビ局に転職という、負け犬らしい職歴を持っています。

私はこの本を読んで、ブリジョンと自分に共通する部分が非常に多いことに驚き、

「へーえ、ロンドンにも同類がいるんだぁ！」

と、素直に感動しました。

ブリジョンは日本でもベストセラーになり、私も第三巻まで読破。主演女優の見事なちょいデブっぷりが話題になった映画もヒット。柳の下狙いの似たような本も、多数出版されました。

次に気付いたのは、NHKで放送していた、「アリー・myラブ」。こちらはアメリカのテレビドラマなのですが、主人公のアリー・マクビールは、ボストン在住の三十代の弁護士でやはり負け犬、という設定。こちらも恋に仕事に、明るくも悶々とした日々を過ごす。

そして、ここにきて負け犬ストーリーの世界で俄然《がぜん》、存在感を発揮しているのが、「セ《S》ックス・ア《A》ンド・ザ《T》・シ《C》ティ」でしょう。これもやはりアメリカのテレビドラマで、日本ではビデオになっている他、WOWOWでも放送中。舞台はニューヨーク。四人の三十代独身キャリア女性が、マンハッタンで時にゴージャスで時にセクシャルな負け犬ライフを展開します。

「ブリジョン」「アリー」「SATC」の順で接してきた私は、

「げっ、これって私のこと？」

と、いちいち感じていました。そして、負け犬っていうのは世界中にいるのだなぁという、何か頼もしいような情けないような気分になった。

世界中とはいっても、サンプルは今のところロンドンとボストンとニューヨーク、そして自分がいる東京くらいなわけですが、その四都市にいるということは、世界中の都会という都会——パリでも、上海でも、リオデジャネイロでも、そしておそらくはカイロなんかでも——に、負け犬は生息し、ブリジョン等の負け犬ストーリーに対して、

「わかるわかる」

と言っているのでしょう。

私は、このことにちょっとした感動を覚えるのです。違う大陸に住み、髪の色も話す言葉も違う人達が、こうまで共通した負け犬心情を持ち、負け犬行動をとっている。そんなことを知るだに、「もしかしてこれって……、NOVAのコマーシャルで言うところの異文化コミュニケーション、っちゅうやつ？」などと思えてきたり。

「ブリジョン」、「アリー」、「SATC」の主人公達は、それぞれ異なる特徴を持っています。ブリジョンは、気は優しくて本能的な誘惑にめっぽう弱いお調子者系。アリーは、少女っぽくって夢見がち。「SATC」に出てくる四人は、それぞれ個性は異なるものの、セックスに対してものすごくあけすけ。

が、異なる点より数倍多いのが、その共通点でしょう。それぞれがドブスではないので、「いいかも」と思う男性には多々、巡り合うのです。けれどその度に、相手がゲイだったり結婚していたり結婚歴を隠していたり精神的に問題を抱えていたり異教徒だったりちんちんが異様に小さかったりオヤジだったり十六歳だったりする。そしてそんな男性と出会う度に、

「〇〇にはまともな独身男はもう残っていない！（〇〇には都市名が入る）」

と叫ぶ。

彼女達は、とても頼りになる友達を持っています。何かというと女友達同士で集まって、作戦会議。負け犬の必須アイテムともいえるゲイの親友も、アリー以外にはいる（ア

リーは、ゲイの親友の代用品として精神分析医を利用)。

当然のように彼女達は、専業主婦をやっているような勝ち犬達に対して、しっくりこない気分を持っています。ブリジョンでは、勝ち犬達は「独善的既婚者」と称され、「SATC」では、小さな子供を持つ経産婦集団を「カルト」と言い切ると同時に、

「自分の存在証明に子供を担ぎ出すなんて!」

などというセリフも用意して、世界中の負け犬達の気持ちを代弁しているのです。

しかし何といっても彼女達の最も大きな共通点は、セックスに対する意欲、というものでしょう。彼女達は、決してセックスの問題をおろそかにしません。と言うより、セックス問題をおろそかにできなさすぎることに、煩悶《はんもん》している。

一見少女のように純真そうなアリーですら、洗車場にて、バイトの青年と行きずりのセックスをしたりしているし、ブリジョンは「セックスレスの継続時間」を一五〇三万三六〇〇秒まで、数えている。

中でも「SATC」は、タイトルの通り、セックス問題を中心に据えた作りです。昨日デートした人とセックスをしたかどうか。こんなことやあんなことをするのは、もしくはしないのは、異常か正常か。……というような話題が展開される。

私は「SATC」に出てくる四人のアメリカ負け犬を見て、「もしかして私達の会話を聞いていたのか?」と思うほど、自分と似たものを感じました。そして負け犬友達のAちゃんに、

「ホント、自分のことかと思っちゃったー」

と言ってみたのです。するとAちゃん、

「えっ、あれってオーラルセックスがどうのとか、ものすごく際《きわ》どい会話するやつでしょ？　あんな会話するの？」

と驚かれたことに、私は驚いた。

「えっ、ああいう会話……、しないの？」

と。

夜の西麻布近辺を根城《ねじろ》に行動するフェロモン系の彼女のこと、「ＳＡＴＣ」に対する共感もさぞや、と思っていたのです。が、よく思い出してみたら彼女は実はアリー派だった。「服の露出度とセックス話に対する許容度って、比例するわけじゃなかったのだなぁ、そういえば」と、私はやっと思い出したのです。

その法則を思い出した私は、典型的なお嬢様ファッションでいつも決めている、〝お嬢負け犬〟のことを思い出しました。「露出度とシモネタ度は比例しない」という法則の通り、彼女はセックス系のガールズ・トークが三度の飯より好き、という人。

私は早速コンピューターを開き、彼女にメイルを打ちました。

「『ＳＡＴＣ』って、もう見た？　もう最高、私達のことかと思っちゃった。中に出てくるシャーロットっていうスミス女子大出の子は、まるであなたみたいなお嬢様なんだけど、ユダヤ教のラビとやっちゃったりするのね。それで……」

と、延々と「SATC」話。最後は、

「会社のメイルに『フェラチオ』とか書いちゃってごめんね。今週末、絶対にビデオ屋さんで借りて見るのよっ」

という文章で締めくくり、送信をクリック。

が、次の瞬間。虫のしらせとでも言うのでしょうか、私はものすごーく、嫌な予感に襲われたのです。〃私、本当に今のメイルをBちゃん宛に送信したのだろうか……〃と、慌てて送信済みメイルをチェックしてみると！

なんと私は、そのメイルを、見事に違う相手に送ってしまっていたのでした。それもよりによって、同級生の中でも最も真面目で熱心なクリスチャン、早くに医者と結婚して今や三児の母、子供のお受験にも成功しているという典型的な勝ち犬・Cちゃんのところへ！

その瞬間、私の毛穴という毛穴から冷汗が噴き出しました。〃Cちゃんのアドレスは、確か夫婦で共通だったはず。ってことは、一穴教の教祖みたいな夫のCさんもこのメイルを見るってことか？　ギャーッ……〃と、私の頭はパニック。

しかし、何らかの策を練らなくてはなりません。私は急いで、言い訳のメイルを書くことにしました。

「Cちゃんへ。突然変なメイルが来てさぞやびっくりしていると思います。えーとさっきのメイルは、間違えて送ってしまったものなの。内容を見て驚いたと思うので一応言い訳しておくと、あれはですね、『SATC』っていう今話題のビデオを友達に勧めようとして書いたメイルで、でもそれはアダルトビデオとかじゃなくて、『アリー』みたいなものなんだけど、まぁCちゃんなんかが見る必要は全く無いビデオなわけで、えーとえーと前のメイルはだからすぐ削除しちゃってねおほほ。お子さま達もみんな元気？　私は相変わらず元気よ。またみんなで会いたいわね（ちなみにこれは、大嘘）。ではでは」

とものすごい速さで打ちまくり、即座に送信した、と。

ああ、いかにも「ブリジョン」とか「SATC」とかに出てきそうなシーンではありませんか。「酒井順子の日記」、略して「サカジュン」に、記載せずにはいられまい。

考えてみると、日本にはあまりこの系統の現実的都会派負け犬ストーリーが存在しないように思えるのです。もちろん、三十代未婚女性が出てきて恋に悩んだりするドラマも小説もたくさんありますが、どうもジットリした湿気を感じたり、現実にはあり得なさそうな超ハッピーエンドになっていたり。つまりそこには、乾いた笑いが存在しない。

私が思うに、日本の負け犬達は、海外モノであるからこそ、あの手のストーリーを楽しむことができるのではないでしょうか。同じ負け犬ライフとはいっても、マンハッタンやロンドンのレストランで血統書のついていそうなブロンドの洋犬が、

「デートはしてるのにセックスはしないっていうのが三回連続するってどうよ！」

と語り合うからこそ笑うことができるのであって、柴犬が代官山程度の街で同じことを語り合っていたのでは、どうも貧乏&辛気くさくなってしまう。

日本の負け犬達は、まだ「負けてまーす」と腹を見せることに躊躇《ちゅうちょ》しているのかもしれません。そういえば、シモネタ大好きのお嬢負け犬・Bちゃんもその後、「週末の夜にビデオ屋さんに行って、『セックスなんとか』なんてビデオ、恥ずかしくて借りられないわよぅ」

などと言っていましたっけ。

日本の負け犬ストーリーの系譜は、彼女達が自らの腹をさらすことに躊躇しなくなった頃、初めてその萌芽《ほうが》を見ることになるのかもしれません。

負け犬の特徴

負け犬と金／仕事

キャッシュ・フロウはあるが、ストックは無い。負け犬の経済状況というのは、そんな感じです。

私がそれを強く感じるのは、勝ち犬と会っている時。負け犬であるこちらは、そこそこの値段がする、流行をはずしていないバッグやジャケットを身につけている。対して勝ち犬は、

「いいなぁ、サカイはお洒落なものいっぱい持ってて。うちなんかダンナの月給だけで生活していかなくちゃならないから、自分の服なんか全然買えないわよ。せいぜいＧＡＰかユニクロねっ」

と私を羨んでみせるのですが、彼女の胸元には大粒の、確実に百万円以上はするであろうダイヤモンドの一粒ネックレスが光っている。

「ああ、これはダンナのお母様が買ってくれたやつよ……」

と勝ち犬は軽く流しますが、そんな時に私は深く、負け犬感を覚えるわけです。今年流行している十万円のバッグやジャケットをいくつ買っても、それは数年後には使わなくな

るもの。対して一粒百万円のダイヤは、十年後も二十年後も、勝ち犬の胸元を飾り続けることでしょう。

良いおうちに嫁いだ勝ち犬、すなわち勝ち犬の中でも本当に勝っている人というのは、普段は質素ですがイザという時に、その本当の勝ちっぷりを見せつけるのです。たとえば、お葬式。負け犬は、お祖母ちゃんのお葬式の時か何かに適当に買ったツルシの喪服に、その辺にある黒いハンドバッグなど持って行くわけですが、勝ち犬は違う。

「○○家の嫁として恥ずかしくないようにって、義母が揃《そろ》えてくれたの……」

と、質の良い生地でできた喪服に葬式の時にしか持たないカッチリした黒革のバッグ、そして明らかに大粒で粒の揃ったブラックパールのネックレス。

結婚式においても、差が出ます。負け犬年齢になってからたまに結婚式にお呼ばれしたりするのはとても楽しみなものですが、負け犬は「ま、無難なところで……」と黒いドレスなどを着用。対して勝ち犬は、いかにも若いミセスらしい桜貝色や若草色の着物に身を包み、まるで歌舞伎役者の奥さん達のよう。パーティー会場において、黒いドレスの負け犬一団が醸《かも》し出す暗雲のような雰囲気と、着物の勝ち犬一団が醸し出す春の野のような雰囲気を見比べると、「思えば遠くへ来たもんだ」と、負け犬も勝ち犬もなかった学生時代が前世の記憶のように思えてくるのでした。

三万円もするTシャツを普段に着ていても、冠婚葬祭になると弱い、負け犬。普段はユニクロのTシャツでも、冠婚葬祭では俄然《がぜん》、存在感を発揮する勝ち犬。負け犬は常に個人として存在しているので、何でもない平日の服装にお金をかけるのですが、勝ち犬は個人としてではなく、「家」の人間として行動している。普段はどんな安い服を着ていても、喪服の生地の質では、負け犬を凌駕《りょうが》するのです。

勝ち犬達の、

「ダンナの給料だけでやっていくのは大変！」

という話を聞いていると、時に私は「ああ、勝ち犬は可哀相。私は自分のお金を好きに自分で使えて幸せだなぁ」と思うことがあります。が、最近はその手の言葉はまともにとらないことにしました。だって勝ち犬の「ダンナの給料だけでの生活」というのは、若いうちはお金の苦労も知っていた方がいい、という思想のもとに行なわれている貧乏プレイだったりする。

「騙されてはいけない。この人達の背後には、一粒ダイヤネックレスや黒真珠ネックレスや、それどころか一軒家とかを買ってくれる人達が控えているのだ。日銭が入るからといって、今シーズンだけしか使えないバッグなどを調子こいて買いまくっている場合ではない！」

と、負け犬は肝《きも》に銘じなくてはなりません。

負け犬は、様々な複合的要因によって負け犬と化したわけですが、要因の一つとして「ある程度の収入を自分の力で得る能力を持っているから」というものも、あるのです。社会に出て働くのはどうも自分には向いていないらしい、ということが早めにわかっている人は、幸いです。彼女は必死に、勝ち犬の道を目指すことでしょう。しかし利口、もしくは小利口な負け犬（及びその予備軍）には、その切実さが無いのです。何となく偏差値も高かった。仕事も、そう悪くないものが見つかった。やってみたらやりがいもあって、その上私ったらなかなか有能みたいだし、お給料もそこそこもらえる。「生活のために結婚しなくては！」という気概が生まれる気配は、そこにはありません。

負け犬は実際、仕事のできる人が多いものです。結婚をしていないことに対する言い訳になるようにと、つい仕事を頑張ってしまう、という理由が一つ。さらには「仕事ができる人はあまり男性から好かれない」という厳然たる事実もあるので、負け犬が「結婚してないのだからせめて仕事くらい」と頑張れば頑張るほどさらに縁遠くなるというスパイラルも、そこにはあります。

負け犬は、ごく普通の「自分よりちょっと頼り甲斐があって、自分の仕事を認めてくれる男性」ってやつを求めているわけですが、ごく普通の男というのは「仕事がバリバリできて給料をたくさんもらってる女」が好きなわけではない。結婚後の経済状況が多少悪くなったとて、短大卒で「えへっ」とか言ってる妻の方が、ホッとできる家庭が築けそうだと、彼等は判断します。

高キャリア高収入の女性が全て負け犬になっているわけではないではないか、という話もありましょう。ある勝ち犬は、

「結局、中途半端なキャリアウーマンっていうのが、一番やっかいなのよね。東大出てキ

ャリア官僚になったり学者になったりっていう本当のエリート女性って、けっこうエリート同士で結婚してちゃんと子供も作ってるでしょう。大臣になるような女性も、みんな、家庭持ちだし。一流よりちょっと下のレベルの女性達が、結婚できないのよね」

と言っていました。うーむ、「結婚できないのは二流エリート」って、確かにそれは言えてるかも……と一瞬思ったものの、負け犬の名誉のためにも、そんな説に納得している場合ではありません。

どれだけ頭がよくて仕事ができようと、そこに男と女がいればくっついて子供を作るのが人間なのであって、それは超一流エリートも二流エリートも同じこと。すなわち「超一流は超一流であるが故に結婚できて、二流は結婚面でも二流」というわけでは、ないのです。「結婚して子供もいる超一流エリート」というのは何かと目立つのでマスコミなどにもとりあげられがちであり、その辺から「超一流エリートは負け犬にはならない」というイメージが生まれたものではないかと思われますが。

実際のところは……と見てみると、超一流エリートの負け犬も、わんさといるのです。東大を出て、海外の研究所で何やら難しい研究に勤《いそ》しむ知人は、負け犬どころかほぼ確実に処女。また東大進学率が女子ではナンバーワンの桜蔭《おういん》高校出身者に聞いたところ、「卒業生の負け犬率はひっじょーうに高い！」

と言っていました。相変わらず日本では、エリート女性は余りゆき、ヤンキー達の子孫のみが増えていくという事態が続いていているのです。

高キャリア・高収入の女性でも、しかし諦めることはありません。最近はその手の女性が、「自分よりちょっと頼り甲斐があって、自分の仕事を認めてくれる男性」に出会うことを諦め、働くのがあまり好きではない男性や夢見がちな男性、または貨幣価値が日本とは著しく異なる国の男性と、庇護するように付き合うというパターンも多いもの。

が、この手のカップルとなるには、大の男一人プラス子供、を養うのに十分な経済力を持つのは当然のこと、未練や甘えも捨てなくてはなりません。すなわち「いつかは彼に稼いでもらって、自分は好きな仕事だけをするようになりたい」とか「娘はカソリックのお嬢様小学校（お母さんが働いていると入れません）に入れたい」といった気持ちを残していてはいけないのであって、家族のために一生、身を粉にして働く覚悟がなくてはならない。夫のことは、たまたま精子供給能力を持っている妻、くらいに思っておくのがよいのでしょう。

女が稼いで男が支えるというパターンのカップルが出てきたことは、「男女平等になった」ということとは違います。それは、単にかつての男の役割を女が担うようになったという話であって、差がなくなったわけではない。ただ男女が逆転しただけなのです。

ついつい仕事をしてしまうから、縁遠くなる。しかしだからといって負け犬は、仕事をする手を休めてはいけないのです。たとえば職場に一人の負け犬がいることを、想像してみましょう。同じ性格であるとしたら、その負け犬が仕事の面で優秀であるのとないのと、どちらの方がいいか。

「変に仕事ができたりすると、かえって負け犬感が増すわよね！」

という意見もあるかもしれませんが、その手の人はまだまだ負け犬の実情を知らないのです。ていうか負け犬も、そんな風に言ってもらえるうちが花。

三十代前半であれば、

「私、別に仕事に命かけてるってわけじゃないしー。青筋立てて仕事してる三十女って、なんかみじめじゃない？」

というギャルぶりたい気持ちが負け犬にもあるのは、理解できます。が、それ以上の年齢になってあまり仕事が不出来だと、その方がよっぽど痛々しいのです。

特に三十代も後半というのは、結婚して出産を終えた人も職場に復帰し、バリバリと仕事をしだす時期。

「Aさんって、仕事も別に好きじゃなさそうだけど結婚する気配も無いし、いったい何が楽しくて生きてるんだろう？　それに比べて勝ち犬のBさん、結婚して子供もいるのに、Aさんよりずっと優秀よねぇ」

ということになり、負け犬のミジメ感はさらに倍加。

その年齢になれば、将来に対する具体的な不安も、ぼちぼちと出てきます。親も病気になったり死んだりするお年頃。いつまでも庇護はしてもらえず、「イザとなったら親のところに帰ればいいや」とも言ってられなくなってくる。ずーっと老後も一人でいる時の経済状況というものを考えると、おのずと仕事にも力が入ろうというものでしょう。

「ワンランク上」の仕事に対する欲求がムラムラと湧いてくるのも、この年頃の負け犬の特徴です。若手という立場における仕事は、三十代前半までにそれなりにしてきた。これからはもっと大人にちゃんと認めてもらえる仕事をしたいッ、つまりは「頭イイって思われたい」的な気分になってくるのです。

たとえば女優なら、テレビの軽いドラマではなく、映画や舞台でもっと難解で高尚な役をやって賞をもらいたくなったり、とか。コピーライターをやっていた人が小説を書きたくなったり、とか。イラストを描いている人がアートの作品を造りたくなったりとか。普通の会社員だった人が、お父さんが医者だったことを突如思い出して医大を目指したり、留学をしたりというパターンもあります。

主に若者の土俵において仕事をしてきた人にとって、三十五歳という年齢はもういい加減ロートルなのであって、本人もそれに気づいて「違う土俵へ行きたい」と思う、という図式ももちろんそこにはあります。が、若者の土俵において勝ち星を得ることが、その年頃になると、もう本当にどうでもよくなってくるのです。別に若者に好かれなくったってもういいや、とも思えてくる。何かカチリとスイッチが変わったような、気分。

負け犬がワンランク上の仕事を目指したからとて、成功するとは限りません。が、そんなわけで三十代後半の負け犬は、結構楽しい仕事生活を送っているのです。若者の土俵においてはロートルでしたが、もう一つ先の世界においては、三十五歳はまだ若手。その姿が傍目から見て美しいかどうかなんてどうでもいい、と思えるだけの図々しさも身につけた負け犬は、新人気分で業務に邁進するのです。

四十代、五十代と歳をとっていくことによって、仕事に対する姿勢はまた刻々と変化していくことでしょう。が、負け犬達はきっと、ギリギリまで仕事を続けていくのです。好きな仕事をできるだけ長くして、自分の稼いだお金をキッチリ使って、葬式代だけを残してキッチリ死ぬ。負け犬の理想というのは、その辺にあるのかもしれません。

負け犬と恋愛／結婚

負け犬同士で話していると、時候の挨拶と同じくらい頻繁に、

「この先、私は結婚することがあるのだろうか？」

という話がよく出ます。〝良い負け犬〟はそんな時きっと、

「絶対大丈夫だって。いつか素敵な人が現れるわよっと、
と言って友を励ますのですが、私は〝悪い負け犬〟なので、

「しない確率の方が高いって思っておいた方がいいんじゃないの？　だってマトモな男の人はもう絶対結婚してるって。今残ってるような人は、ゲイとか素人童貞とか無職とか、何らかの致命的欠陥を持ってる人ばっかりだってことはあなたも身に染みてわかっているでしょうが。私達は、流しソーメンの竹のすっごく末端の方にいる人間だってこと、自覚した方がいいよ。まともな人がいいんだったら、もう掠奪《りゃくだつ》しか手は無いと思うよ」

などと、純な負け犬を絶望のどん底に突き落とすようなことを言ってしまうのですが。

実際のところ、「負け犬が結婚した」という話を、私は滅多に耳にしません。負け犬仲間に、

「既に負け犬となった後で結婚したっていう友達って、いる？」

と聞いてみても、

「知り合いの知り合いの負け犬が結婚したらしいっていう事例を聞いたことがあるけど……」

と、はなはだ心許《こころもと》ない。

それどころか負け犬は、恋人所持率も著しく低いのです。たまに、

「彼がね……」

などと言う人がいたかと思うと、それは不倫。普通の独身男性と付き合っている負け犬を探すのは、西表島《いりおもてじま》でイリオモテヤマネコを探すくらい難しいことと思っていいでしょう。

負け犬の市場価値が加齢とともに低くなることは、見合い市場を見ていても、理解できます。お見合いをよくする負け犬友達の話によると、三十代前半までは、まだ三十代の見合い相手が来ていたらしいのです。が、三十代後半になると、三十代の相手は滅多に来なくなる。四十代の離婚経験者や妻に先立たれた人との話もあれば、

「それどころか六十代っていう話もあった！　さすがに会わなかったけど」

なのだそうです。

さらには、

「三十二歳くらいまではまだ、見合い相手は『人間』だったのよ。でも後半になってくる

と、だんだん人間じゃなくなってきたっていうか、地球外生物っぽい人ばっかりになってくるわけね。ジャバザハット並みの体型の人とかホビット君並みの身長の人とか、カン高い声で『ケケケケケッ』って笑いだす人とか……」

なのだそうです。

それでも、お見合いをする負け犬はまだいいのでしょう。多くの負け犬は、

「お見合いっていうのは、ちょっとねぇ。やっぱり私は恋愛じゃないと……。お見合い情報サービスみたいな会社に登録するなんて、絶対に嫌よぅ!」

と言う。その気持ちもわからなくはないが、「でもそんなこと言っても、日本市場にはあなたと釣り合うような相手はもういないのだから、どうしても恋愛したいなら外国に行くか、不倫というブラックマーケットに手を出すしか無いのだと思うんですけど……」

と、また〝悪い負け犬〟の私はつい言いそうになる。

アメリカでは、キャリア負け犬のために用意されている「イッツ・ジャスト・ランチ」というデーティング・システムがあるのだそうです。日本と同様アメリカでも、忙しいキャリア負け犬がデート相手を探すのは至難の技。ということでその会社に登録すると、厳しい面接をくぐり抜け社会的信用もあるデート相手が紹介してもらえる。それも、仰々しいお見合いではなく「イッツ・ジャスト・ランチ」の名前通り、「ま、お互い忙しいことだし、最初はかるーくランチでも一緒に」がコンセプト。

ただし私の友人(女)がこの会社に登録してみたところ、ものすごく格好いい経営コン

サルタントを紹介されたはいいものの、初めてのデートでいきなり、

「君は手錠が似合いそうだね」

と言われて思わずケンカ、という結末に至ったそうです。ま、そんなこともあるかもしれませんがこのシステム、もし日本にチェーン展開されたとしたら、誇り高い負け犬にとっても、お見合いと恋愛の中間的存在として重宝されるのかもしれません。

負け犬がなぜ、異性との出会い方にこだわるかといったら、私達は「モテる人が偉い」という価値観の中で、生きてきたからなのです。異性・同性に限らず、他人から好かれ、人気がある人が、価値ある人だった。

負け犬のコンプレックスも、その部分に根ざしているのだと私は思います。「羨ましい」とか「あの夫だったら私も結婚してもいい」と思えるような夫婦は周囲に皆無なのだけれど、それでも「結婚したいかもー」と思うのは、一人の異性にとても深く愛されたという証拠が欲しいから、という部分があるのではないか。つまりそれは、どこの学校を出たかと同じ、心の拠り所として持っておきたい履歴の一つなのです。

お見合いを嫌がる人の心理にも、その辺が関係するのでしょう。ただ結婚がしたいのではない。相手から強く求められた結果として、たまたまそこに結婚があったという形をとりたいから、恋愛を求める。「恋愛できない人は人生の落伍者」という物心ついて以来の強迫観念が、負け犬をなおも縛っています。

結婚経験の無い負け犬よりも、離婚を経験した負け犬の方が偉いという序列にも、それ

は関係しています。たとえ崩壊したといっても、異性に一度「この人と一生一緒に過ごします」という覚悟をさせた分だけ、バツ持ち負け犬の方が偉い。

離婚経験のある負け犬達が、「『結婚歴の無い独身』という肩書きは、何歳まで気持ち悪くないか」ということを話しているのを聞いていたら、

「男は三十九歳まで。つまり、四十代になって結婚歴が無い男っていうのは、何らかの欠陥があるっていう感じがする」

「女は四十二、三歳かな。それ以降でバツナシは、やっぱり痛いわね」

ということなのだそうです。私自身は、

「確かに男の場合、四十代でバツなしだとどこか疑ってかからなくちゃならないけど、女の場合は、別に何歳でもマトモの範疇《はんちゅう》に入るんでないの？」と思っていたのですが、その認識は甘かった。

我々が勝ち犬から差別される運命にあることはじゅうじゅう承知していましたが、実は差別される者の中にこそ、さらに激しい差別があるのです。負け犬の中にも、というよりは負け犬の中だからこそ、バツなし差別は存在するということを、私達は知らなくてはなりません。そしてバツなし負け犬はバツなし負け犬で、自分がラクになりたいがために、もっと下にいる誰かを、探し求めようとしていることも。

しかし私、最近はその手の差別はそのまま受け入れることにいたしました。差別をはねかえしたいとか、差別を無くそうなどと思って、

「私はみじめではない、幸せだ！」

などと叫ぶのは、かえって差別を助長する。

「ええ、確かにその通り。私は今まで一度も、そして誰からも選ばれたことの無い駄目人間ですが、まぁそんな人間を下に見ることによって少しでも気分がスッキリするのであればどうぞ、いくらでも」

と言った方が、話はややこしくならなくて済むのです。

理想の〝男の負け犬〟である寅さんも、映画の中で、

「奥さんもいないクセにっ」

と誰かに半人前扱いされた時、

「いないもんはしょうがねぇじゃないかッ」

と言っていましたが、私もまさにそんな気分なのです。

「結婚って、いいものよ」

「やっぱり子供は、産んだ方がいいんじゃない？」

と言われても、

「結婚も出産も、してねぇもんはしょうがねぇじゃないかッ」

としかもう言い様がない。

三十代半ばになると、負け犬もいい加減恋愛沙汰に、疲れてきます。その歳まで負け犬生活をしている人は、それなりに恋愛経験を積んでいます。皿も割れましょう、血も見ま

しょう、安定剤も服《の》みましょう、という修羅場を見たり見なかったりもしている。

さらには、異性と会う度に「この人、私のこと好きかしら」とか「この人、結婚してるのかしら」とか「この人とチューしろって言われたらできるかしら」とか考えるという生活を二十年も続けていると、もうほとほと飽きてしまう。「あーあ、本当にくったらねぇなぁ」という気持ちにもなってこようというものです。

「私はいつでも、いくつになっても恋愛していたいの」という精気に溢れた方もいるでしょう。その手の方は、欲求に好きなだけ従って、恋愛エッセイでも書いてみればよろしい。が、ごく普通の負け犬に、「あーあ、見合いも恋愛も疲れたっ」という時期があるのは当然のことであって、そんな負け犬を見かけたらぜひ、そっとしておいてあげてほしいと思うのです。

負け犬が、この先結婚するかどうか。これぱかりは、全くわかりません。悩みを吐露する負け犬に対して、スピリチュアルカウンセラーだったら、

「それはあなたの心がけ次第。いつも前向きに、希望を持って生きれば、いつかきっと明るい未来が見えてきます！」

と言うでしょうし、統計学者だったら、

「しない率の方が高いんじゃないですか？」

と言うでしょう。

そして私は、どちらの言い分が正しいか、よくわからないのです。

「希望を持って生きるのです！」

という言葉を信じて、岸壁の母のような心境で日々を過ごして結局結婚しませんでした、という人生と、

「ま、冷静に考えればもう結婚しないっていう目の方がどう考えても強いやね」

と、結婚しないという方向における充実感を求める人生と、どちらが良いのか。

希望が無くては生きていけない、願いはいつか叶うはず……という、粘り腰かつ現実より希望を大切にする性格の人は、岸壁の母人生を選ぶのでしょう。そしてその手の人がもし癌になったとしたら、きっと告知はしない方がいいのだと思う。

私はといえば後者、つまりは統計的に考えて、かつ諦めが早いために「そうなったら仕方がないので、それなりの人生を生きるしかありませんね」と思うタイプ。癌告知も、してもらった方が有り難い。

本当はどんな負け犬も、心の中では「ああ、一生一人なのかもしれないなぁ」とは思っているのでしょう。が、そのことに気付いていても気付かないフリをするのが岸壁の母タイプであり、そのまま見つめているのが私のようなタイプだとも言える。

しかし同時に負け犬は、心のどこかで「でもいつか、私も結婚するかもしれないしなぁ」とも思い続けているのです。

「一生一人かも」

という絶望感と、

「でも他の負け犬はどうあれ、私だけは案外結婚しちゃうのかも」

という楽観的な気持ち、両者の間を行ったり来たりしながら、ごはん食べてうんちして寝て起きて落ち込んで浮かれて……ということを繰り返しているのが、負け犬の生きざまであると言えましょう。

負け犬と依存症《アディクション》

三十代半ばになり、周りの負け犬を見ていて、ふと気づくことがありました。それは、〝何だかこの人達って、やたらと歌舞伎を観ているなァ〟ということ。負け犬同士で話していると、

「コクーン歌舞伎でさぁ」

とか、

「この前、ニザタマの妹背山を観てね……」

といった話題が、やけに多い。

そんな会話に参加できるということは、もちろん私も歌舞伎を観ているのです。二十代の頃はほとんど観たことがなかったのに、三十代になってから、急に面白く思えてきた。ふと気がついたらまるで医者の妻のように、毎月歌舞伎を観るようになっているではありませんか。

歌舞伎ばかりではありません。負け犬達の動向を見ていると、日本の伝統芸能・伝統文化にハマりゆく独身女性がいかに多いか、理解することができます。能や狂言に夢中にな

って「千作サマ♡」などと老人に惚れてみたり、お茶や邦楽のお稽古を突然始めてみたり、仏像に惹かれて京都の寺巡りをしてみたり。昔は三十代で和風な事柄に興味を持つと、

「あらお若いのにお珍しい」

などと言われたものですが、今や和風に夢中になる三十代があまりに多く、「これでいいのか」と、何か不吉な感じすら覚えるのです。

今は、世の中全体が和風ブームなのだと言います。「和樂」といった和風趣味雑誌も出ているし、若い子もよく着物を着るようになっているし、伝統芸能の公演のチケットは入手困難だという。してこの和風ブームというもの、そもそも発生させたのが負け犬であり、またブームの主たる担い手も、負け犬なのではないかと思うのですが。

和風の事柄は、少し前まではおばさんやおばあさんが得意とするとされていました。歌舞伎を観るのも着物を着るのも、既に子育てを終えて時間的にも経済的にも余裕ができた、おばさん以上の年齢層の人達だったはずです。

そこにやおら参入してきたのが、普通なら子産み・子育てをしている時期に子を持たぬ、負け犬達。人生という膨大な暇を潰すにはもってこいの作業である子育てをしていない負け犬は、その有り余る暇と経済力とを、日本の伝統文化に傾注しているのです。子育てと伝統文化の習得は、カネとヒマを喰うところも同じなら、少しずつ進歩していくところも同じ。負け犬は子育ての代替として伝統文化を愛しているので、そりゃあ熱心にもな

りましょうし、伝統文化ブームにもなりましょう。

負け犬が和風趣味へ走るのは、伝統文化の隆盛のためを思えば、良いことのような気はします。が、一方でその「三十代からの日本文化回帰現象」から、ある種の臭気が漂ってくることも否定できません。

三十過ぎて独身、という女性はどのような性質を持っているのか。……と考えてみると、その多くは、真面目で知的な人達です。妥協や打算で結婚などせず、仕事上でもある程度優秀であるからこそ、彼女達はその年齢まで独身を張ってくることができた。

で、その手の性質の人が趣味を持つと、どんなことになるか。……と考えると、「とことんのめり込む」ようになることは、火を見るより明らか。

観劇系の趣味を持った場合は、定期公演はいわずもがな、お金を持っているので地方の公演にまで駆け付けて、おっかけ的行為を楽しむ。お茶やお花といったお稽古事を始めたら、着物だのお道具だのを揃えまくり。そして同じ趣味を持つ負け犬同士で集っては、ワインなど飲みながら趣味の話に花を咲かせ、水面下で〝アタシの方が詳しいのよ〟〝先生と一番親しいのは私よ〟みたいな火花を散らす。

私は、その手の人々が集っているところを遠巻きに見ていると、なにかイヤーな汁、略してイヤ汁、がその集団から滴《したた》っているように感じずにはいられません。っていうか何だか単純に、恐い。

身も蓋《ふた》もない言い方をすると、和風趣味に限らず、何かの趣味に熱狂的にのめり込んでいる負け犬というのは、とってもモテなさそうなのです。たとえば宝塚劇場の前で、終演後にスターの出待ちをしている老若女達を見よ。彼女達はおしなべて、「色気」とか「おしゃれ」といった言葉には無縁な感じ。処女率が異常に高そうな世界です。

それは宝塚に限ったことではありません。競輪場で、選手がスタートする場所の前に陣取って、金網にかじりついてお目当ての選手に声援を送る負け犬。寄席で、若手講談師の話をじっとりとした視線で聞き入る負け犬。〝この人達は、モテないから趣味の分野に走るしかなかったのか、それとも趣味の分野に尋常ではない興味を抱いてしまうからモテたいという気にならないのか……〟という、卵かニワトリかのような疑問を抱かざるを得ない。

休日を全て趣味に費やし、スターのおっかけをする人達は、とても忙しそうです。が、その「ああ忙しい」というセリフを聞いていると、私はつい思ってしまう。〝これってさ……、アディクションってやつだよねぇ〟と。そして、〝三十歳を過ぎたら、おっかけだけはしてはいけない〟と、心に誓う。

我が眷属《けんぞく》たる負け犬達は、つまり皆そこそこお金を持っている上に、暇なのです。それは、仕事は忙しいものの仕事以外の時間となると途端にすることが無くなるという、かつてのモーレツ社員のような暇さ。暇がもたらす恐怖感から目を逸らすために、彼女達は趣味に依存する。

二十代の頃は、周りも皆独身なので、休日も何となく仲間と集って過ごすことができました。が、三十代半ばともなると、半分以上の人は結婚している。となると、「何となく集まる」という時間の潰し方ができなくなります。そして独身女性達は、歌舞伎を観、鳥獣戯画の茶碗を集め、香港映画スターのおっかけをし、競馬に夢中になる。

働く独身女性のアディクション対象としてもう一つ顕著なものに、「踊り」があります。フラメンコにフラダンス、サルサにベリーダンスにクラシックバレエ等、やけに負け犬達は踊っていて、私もしばしば素人踊りの発表会に誘われることがある。

そういえばスポーツジムに行くと、エアロビクスの最前列に陣取っているのは常に同じ顔触れであり、その人達は決して若くはないがおばさんと言うには忍びない年齢の女性達だということに私は気づきます。

最も難易度の高いクラスの最前列にいる彼女達の動きにはキレがあり、振りもすぐに覚えてしまいます。ジムの常連なだけに肉体も見事に引き締まっているのだけれど、悲しいことに顔のシワだけは、筋肉で消すことができない。ジムが閉まる時間直前までサウナで汗をしぼった後、やはり常連仲間とビールを飲みにいく彼女達はそう、舞踏アディクションなのだと思う。

負け犬はなぜ、踊るのか。……というと、何かが溜まっているから、なのでしょう。本来であれば出産や子育てに使うべきなのであろうエネルギーの玉のようなものが、負け犬の肉体の中では、使われずにうずいている。その玉をおとなしくさせるために、彼女達は腰をくねらせ、肩をゆすらずにはいられないのだと思う。

旅行の為に生きている、という旅行アディクションの人も、負け犬には少なくありません。旅行というのはある種の現実逃避行為であり、旅に出ている間は、自分が生きている世界や生活そのものから足抜け感覚を味わうことができる。負け犬が旅行に依存するのも、無理はないのです。

負け犬はたいてい、決まった負け犬友達と連れ立って旅行に出かけます。海外の素敵なホテルにおいて、

「こういう所はやっぱり、男の人と来たいわねぇ」

なーんてことは、もう言い飽きているので、言わない。負け犬の二人組はお互いの旅のクセまで知り尽くしており、まるで老夫婦のように淡々と旅を続けるのです。

母親とよく旅行をする負け犬も、見かけます。お金は親に出してもらえる上に、親孝行をしている気分にもなれる。

「あんまり楽しくはないけど、他にやることもないし……」

と、刺激も興奮もほとんど無い旅をする、母と娘。

さらに旅行アディクションが進むと、負け犬は一人で旅をするようになります。もうあらゆる場所に行き尽くしたために興味がどんどん先鋭化し、道連れを探すのが困難になってきたり。歳をとって気難しくなり、誰かと一緒に旅をすることが耐えられなくなってきたり。……ということで、「一人でハワイに二週間ウクレレ修業」とか「モロッコ一人旅」といった、剛毅《ごうき》というか変わった旅に突き進むのです。

そうなったらもう、後戻りをすることはできません。一人旅に慣れた者がまた誰かと共に旅をするのは至難の業。負け犬はいよいよ、人生一人旅への道を歩み出すことになるのでした。

手芸アディクション、という分野も負け犬界には確立されています。パッチワーク、編み物、刺繡《ししゅう》……といった手作りモノの類にはまっている負け犬は多い。細かな作業である手芸は、没頭している時は現実の雑事や嫌なことを忘れさせてくれるものです。発散の表現方法が異なるだけで、ある意味で、舞踏アディクションと似た効果をもたらすものと言っていいでしょう。

和風であれ、踊りであれ、旅であれ、手芸であれ。それぞれのアディクション症状からは、それぞれ違った臭いのイヤ汁が出ています。和風趣味に走った負け犬の、イマイチ趣味の良くない安手の着物をゆるい着付けで着ている姿から垂れる、ちょっと貧乏臭いイヤ汁。相手が講談師であろうと香港映画スターであろうと、おっかけに熱中する人からしたたる、モテなかった過去というものが煮詰まってできたようなイヤ汁。舞踏アディクションの人は汗と共にイヤ汁をも流し、旅行アディクションの人は行く先々の地で旅のイヤ汁をかき捨てる。そして手芸アディクションの人は、ひと針ひと針、イヤ汁のステッチを布の上に残していくのです。

イヤ汁とは、欲求不満とかあがきとか言い訳とか嫉妬といったものがドロドロに混ざった上で発酵することによって滴るものなのだと思います。私はその臭いを嗅いで、〝自分だけはこういう汁を垂れ流したくない……〟などと思う。

が、ハタと我が身を見てみれば、自分自身もまた、立派な負け犬なのです。さらに私の場合は、独身でひとり暮しの上にフリーランスの仕事ですから、会社という我が身を拘束する相手も無い。まさに暇もいいとこ。

そんな私に、アディクション症状が無いわけはありません。まず、前述の和風病には当然のように感染しています。歌舞伎も文楽も観るし、京都には通っているし、書道は習っているし、平安文学も読み出した。さらに言えば、鼓《つづみ》やお茶も習ってみたいし、着物も着たいし、焼き物の里も探訪してみたいのです。が、和の世界の先達負け犬達が流すあまりにも濃ーいイヤ汁の中に頭から飛び込む勇気がまだ出ないので、ギリギリのところで踏み止まっている（つもり）。

手芸アディクションも、自覚しています。私の場合は、クロスステッチが大好き。ひたすらバッテンを刺繍していくことによって少しずつ図柄が完成していく、その単純作業の積み重ねによる達成感、というものがたまらないのです。

精神病の治療法として、吸い殻拾いなどの単純作業をするというものがあると言いますが、クロスステッチもまた、精神を安定させるのにはもってこいの作業です。が、山村美紗原作の二時間サスペンスドラマをつけっぱなしにしながらクロスステッチに没頭する自分の姿は、端から見たらさぞ鬼気迫るものだろうと思う。「あ、今の私、イヤ汁を発散してる！」と自分でも理解できるのですが、針を持つ手はどうしても止められません。

さらに私の場合、最も懸念すべき症状は「鉄道旅行アディクション」。鉄道に乗るのが好きな私は、地方で仕事があるとローカル線を乗り継いで帰ってきたり、また何ら用事も無いのにローカル線に乗るためだけに旅行をしたりします。特に冬は、東北地方で雪を見ながら電車に乗るのが好き。平日、電車に乗りに東北まで行く、などという行為に賛同者がいるとも思えないので、行くのはいつも一人。

時には、

「いいわねぇ、私もやってみようかしら」

と興味を示す人もいるのです。しかし私は、その手の人にはなるべく「やめた方がよい」と言うようにしています。鉄道一人旅は、やっている本人は楽しいのです。しかし「三十女が用も無いのに一人でローカル線に乗って駅前ビジネスホテルに泊まる」という姿を客観的に想像すると、それは確かにおぞましい。後ろ姿からイヤ汁がしたたり落ちているであろうことが簡単に理解できます。

私は、だから他人には鉄道一人旅を勧めないのです。自分でも、

「すいませんねぇ、イヤ汁が出てるとは思うんですけど、何せ暇な独身女なもんで、勘弁してください……」

と心の中でつぶやきながら、鉄道に乗る。

アディクションからくるイヤ汁のたれ流し症状はしかし、別に恥じるものではないような気もするのです。考えてみると、結婚して子供を産んだ人というのは、いわば「子育て

アディクション」。イヤ汁を出しているのは負け犬だけではなく、子育てで周囲が見えなくなっている人からも、子育てアディクションを原因とするイヤ汁が出ているのです。

独身女性が、他にすることが無いから「知的好奇心」という耳触りの良い言葉を言い訳にして歌舞伎を観るように、既婚女性は他にすることが無いから「愛」「母性」という言葉を頼りに、子供を産む。八十五年という長い人生の暇を潰すために、人はそれぞれの依存対象を見つけているのであって、「依存に貴賤《きせん》なし」と私は言いたい。

もちろん、歌舞伎にうつつを抜かし、

「福助は私が育てた」

などと妄想をたぎらせるような趣味依存よりは、結果として次世代を担う子供を残す子育て依存の方が世の役には立つのでしょう。が、歌舞伎観賞もフラメンコも子育ても、依存に至るまでの構造は皆同じ。

人生という長い長ーい暇な時間を、どのように使おうと差別されない世の中を望む私。ですがその前に私自身も、独身者に対してもまた既婚者に対しても、

「げーっ、あの人イヤ汁出してるっ！」

と、我が身を棚に上げまくった差別発言をしないように、心がけたいものだとは思ってはいるのですが。

負け犬とファッション

妙齢の女性がいたら、まずは左手の薬指を見て、その人が結婚しているかどうかを確認して、安心したり「チェッ」と思ったりする。これは負け犬であれば誰しも行なっている行為なのではないかと思います。

が、私は最近、左手薬指を見る前に、ファッションや髪型といった条件だけで、その人が負け犬か勝ち犬かの判断をつける訓練をしております。そんな訓練などしても、世の中を生きていく上で何ら役には立たないことは、知っていますけれど。

その訓練を続けた結果、かなりの確率で、その人が負け犬か否かを外見だけで判断できるようになってきた、と自負している私。では負け犬ファッションとはどんなものなのかというと……？

鈍重そうな肉体にモサい服、白髪混じりのひっつめ髪にノーメイク、というような負け犬も、いることはいます。ですがこの手の負け犬は、

「あ、モテなかったんですね」

の一言で片付けてしまえるから、見ていても面白くはありません。この手の人の左手薬

指に指輪が光っていると、

「あなたのような人が結婚できてよかった、ほんとーうによかった！」

と、むしろ駆け寄って祝福してあげたいくらいの気分になろうというものです。

負け犬の典型ファッションというのは、貧乏臭くもダサくもありません。その反対で、お金がかかっていてセンスも良いのが、最も負け犬らしい負け犬ファッションなのです。

これみよがしなブランドのマークはついていないけれど実は高価なバッグに、よく磨かれた靴。ストッキングの色もデニール数も今風。服の素材は上質で、全体的に少ない色数でまとめられている。胸元はちょっと大きめに開いていて、プチダイヤのネックレスが光る。髪は軽い茶髪で、一歩間違えると水っぽく見えるくらいにきちんとセットされている。……と、こんなところが典型的な負け犬ファッション。当然、化粧もナチュラルなのだけれど、グロスを少し多めに塗ってしまうと、

「その歳でそれはないんでねぇの？」

と、端にいる者に思わせてしまうのは、口の両脇にできる〝ほうれいジワ〟のせいなのでしょう。

この手のファッションの人が地下鉄に乗っていると、私はすぐにピンときます。左手を見るまでもなく、彼女は確実に負け犬。念のために見てみると、中指と小指には指輪をしていても、薬指はぽっかり空いているので、「やっぱりね」と私は思う。

彼女が半蔵門で降りたりすると、「あの人はこの辺の外資系企業に勤めている英語が堪

能な負け犬で、胸元のダイヤのネックレスは自分で買ったもので、たぶん女子校出身でお父さんは浮気経験アリの商社勤務で……」と、私の想像は次々とつながっていくことになります。

負け犬は、なぜ左手を見るまでもなく負け犬と見破られてしまうのか。それは、彼女達のファッションの隙《すき》の無さに原因があるのだと思います。

負け犬は長年、「見られる」現場にいます。社会の視線から隔絶されがちな主婦と違って、ずっと社会の視線にさらされながら生きてきたわけで、他人の視線を意識した上での服装計画を立て続けている。

彼女達は、様々な流行をもくぐり抜けています。DCブランドもトラッドもボディコンシャスもエレガンスも、サーファーカットもワンレンも巻き髪も経験しており、ファッションに対する投資も相当、行なってきた。

その結果、彼女達のセンスは歳をとる毎に洗練されていきました。男から好まれる服装と女から格好いいと思われる服装の違いも熟知しているし、TPOも心得ている。流行にとらわれすぎることなくまた遅れすぎることもなく、セクシーすぎず地味すぎず、でも上質というものが何かは知っているという、隙の無い大人の服装を完成させるに至ったのです。

隙の無い大人のファッションがなぜ負け犬感を醸《かも》し出すかといえば、同年代で負け犬ではない女性というのはたいてい、外見が隙だらけだから。

たとえば子持ちのキャリアウーマンの場合は、とにかく猛烈に忙しい。マニキュアを塗る時間などないし、踵《かかと》の細いヒールなどはいていては、会社を出てから保育園までダッシュができません。ふと気付けば、髪もボサボサ。

専業主婦を見てみれば、いくら「VERY」などを読んで服装に気を遣う主婦が増えたといっても、それは専業主婦独特の、ちと甘すぎるファッション。夜の西麻布といったシチュエーションにはあまり似合わなかったりするのです。

……となれば、手の爪にはネイルアート、足の爪にはペディキュア、踵の細いサンダルに汚れ易い白のジャケットという格好で通勤電車に乗る三十女を見たら、「ああ、この人は負け犬なのだな」と思うしかないではありませんか。

負け犬はしかし、ただ無邪気にお金と時間をお洒落に費やしているわけではありません。

子育て中の専業主婦であれば、

「子供に汚されてばっかりだから、いっつもカジュアルなものばっかり、テへ」

と言っていれば、どんな服装をしても世間は大目に見てくれます。また少しきれいな格好をすれば、

「子持ちなのにこんなにおしゃれで美しい私」

をアピールすることもできる。

対して負け犬には、子供というエクスキューズはありません。独身でお金を持っている

のだからおしゃれで当然、でも年齢はちゃんと自覚してね……という世間の要求に、応えなければならない。

負け犬にとっての最初の難問は、若い格好をしたいという誘惑に、打ち勝たなくてはならないところです。負け犬世代は、若さの記憶がまだ残っている分、若さに対する色気をおおいに残しているわけですが、若いフリは負け犬にとって最も危険なプレイ。

たとえば細身のパンツをはいた時、下着の線がクッキリとひびいているのとか。流行のアイテムを、間違った着こなしで身につけているのとか。若者がやっている分には「ご愛敬」とか「のびのびしていてよろしい」と見過ごせる行為も、負け犬がやってしまうと、目を逸《そ》らしたくなるものです。でも周囲の人は、負け犬を傷つけるのが恐いので何も言ってくれない。

露出過多もまた、周囲を困惑させがちな行為です。

「昔っからミニが好きだし。年齢を意識しすぎるのは、つまらない。着たいものを着るのが一番ですよね」

とミニスカートをはき続ける人は、確かにとても脚が美しいのです。が、若くない人のミニ姿は「ああ、この人にとっては、自分の美脚っぷりを他者から認めてもらうことが精神的支えなのだな」と周囲に知らしめます。その姿からはまるで、

「私の脚を褒《ほ》めてーッ！」

という叫びが聞こえてくるよう。

いずれにしても三十代は、「昔から好きだった」というものを着続けるには、年齢的にも流行的にもだんだんつらくなってくるお年ごろ。若者でも母親でもないが故に言い訳がきかないからこそ、厳しい客観性が負け犬には求められるのです。

そもそも日本には、若い娘の為の服か、既に引退済みのおばさんの為の服しか存在していませんでした。「若くはないが引退もしていない」という女性は、昭和時代までは存在しなかったので、いきおいその人達の為のファッションも用意されておらず、今のように負け犬繁殖の時代となっても、負け犬向けブランドは少ない。

「ええ、私は自分が大人だっていうのは熟知していて無理に若く見せたいとは思ってないけれど、引退なんか全くしてませんし、それどころかたいていの若者には勝ってるんじゃないかっていうくらいの大人の魅力があると自負しているんですけどね……」

というメッセージ性を持った服というのはなかなか無く、あってもそれはヨーロッパのブランド製品だったりするので、とても高いのです。

負け犬は、自分のイメージに合った服を求めて彷徨します。時にブランドものを買うこともあれば、時に109でギャル服を遊びで買うこともある。負け犬ファッションが確立されていない中で、それでも自分のイメージに合った服を追い求めるうちに、負け犬のセンスは磨かれていく。

が、そこにはおおいなる矛盾があります。それは、「日本の男性は、センスの良い女性などを望んでいるわけではない」という事実。

「負け犬と少子化」の章で、低方婚についての話をしたかと思います。多くの日本男性は、学歴も年収も身長も、自分より少し低い女性を本音のところでは結婚相手として望んでいるという、アレ。そして彼等は、学歴や年収と同じように、女性のセンスについても、自分より少し悪い方が好きなのです。

尋常でなくモテる女性を見てみますと、彼女達はおしなべて顔は美人と言うより可愛くて、性格が明るくて、痩せすぎておらず、そして服装がちょっとモサい。

「エッ、それどこで買ったの？」

と、称賛の意ではなく聞きたくなるようなスカートを、平気ではいていたりするのです。すごくセンスの良い男性も、その手の女性に魅了されているところを見ると、「ああ、ちょっとダサいくらいの女性の方が、男の人は安心するのだなぁ」ということが、しみじみよくわかります。

そこへ行くと負け犬ファッションは、男性を安心させません。一見何の変哲もない黒のニットは極上のカシミアで、えりぐりの開き方は、他人の視線を少し惹くものの扇情的すぎないという絶妙さ。パンツの裾丈は、靴のヒールの高さにぴったり合っていて、おっと時計はフランク・ミューラー（それも本物）だし、パンツもブラジャーも、デートの予定が無い時だって上下揃いの色（でもピーチ・ジョンではない）！

そういえば「セックス・アンド・ザ・シティ」でキャリーが、

「また四百ドルもするジミー・チューの靴を買っちゃった！」

なんてよく言っていますが。ジミー・チューの靴をはいた負け犬のセンスにグッとくるような気の利いた男性は、日本には（そしてたぶんアメリカにも）ほとんど存在しないのです。

洗練されたファッションが、悲しいかな裏目に出がちな、負け犬。隙の無いファッションに身を包んで日経など読んでいる負け犬を地下鉄の中で見ると、ファッション面では「あら、素敵」とは思うものの、「日経を読むおしゃれな三十女」を受け入れる土壌など我が国には無いことが理解できる分、痛ましいような気分にもなるのです。

素敵な服を着た負け犬の痛々しさの原因は、常に現役であり続けることに疲れてしまったという部分にもあるのではないかと私は思います。前述の通り、負け犬は今までずっと、「他人からどう見られるか」を意識しつつ、生きてきました。そして負け犬は、そのことに少し飽いているのです。視線ズレした踊り子が、鼻からタバコの煙を出しながら、

「いつまでこんな生活が続くのかしら……」

とつぶやくように、

「いつまで『男ウケいいかも』なんて思いながら服を選ばなくてはならないのかしら……」

と、負け犬はワードローブを見つめている。そこからは確実に、「どう見られようか」と考えすぎた人特有のイヤ汁のにおいが、漂ってくるのです。

話は変わりますが平成十五年、森喜朗前首相が、

「年金は、そもそも子供をたくさん産んだ人にご苦労様、と渡すべきものであって、子供を作らない女性が歳をとったからといって税金で面倒を見ろというのはおかしい」

という発言をしたことがあります。当然、この発言に対しては、

「何言ってるんだバカ」

「こっちはたんと税金払ってるんだ」

という非難の声が寄せられたわけですが、この森さんの発言に対して、

「子を産まない人達は贅沢三昧の生活をしているのに、子育てで苦労している私達と同じ年金をもらうのはやっぱりいかがなものか」

という賛同の意見が主婦から寄せられているのを、あるテレビ番組で見ました。

五万円の靴を買い、三万円のエステに通う負け犬は、確かに主婦から見たら許しがたい贅沢をしているのかもしれません。が、贅沢なことをするのが必ずしも楽しいとは、限らない。中には泣きながらする贅沢だって、あるのです。

五万円の靴を買う時、私は嬉しいけれど、どこか虚しい気持ちになります。この靴は確かにほれぼれする程美しいけれど、しかしどうでもいいような格好でどうでもいいような暮らしをする幸福というのが、この世には存在するのではないか。そして、私がその幸福を手にすることはあるのか……？

おそらく負け犬達は何かを買う度に、

「この服（もしくは靴、もしくは指輪……）を買えば、私はきっと素敵に見える。そうしたら、何かが変わって全てがうまくいくかもしれない」

という希望をほんの少し、抱いているのです。その希望は今まで何度となく裏切られており、今買ったものがその希望を叶えてくれるとも思えないのだけれど、それでもやはり希望を捨てることはできない。

負け犬が、ささやかな希望のために行なう、贅沢。内需拡大のお役に立つところも少しはあるでしょうし、それは決して非難されるべき贅沢ではないのではないかと、思うのですが。

負け犬と家族

少子高齢化は、世の中に様々な悪影響を及ぼすのだそうです。その中でもよく言われているのは、

「社会に活気がなくなる」

というもの。子供や若者が減り、老人ばかりになると、社会全体が沈滞ムードになってしまうから、とにかく子供は増やした方がいいらしい。

果たして本当にそうなのか、と私は思っていたのです。いきいきしているのは、何も子供や若者ばかりではなかろう。高齢者だって、その気になれば活気ある生活を送ることができるのではないか、と。

しかし私は最近、「少子高齢化が進むと社会に活気がなくなる」ということが、実感として理解できるようになってきました。そして「うーむ、確かにこれは問題あるかもね……」という気持ちが、深まってきた。

それというのも私の実家がまさに、少子高齢化社会の縮図のような様相を呈しているから、なのです。

実家には今、両親が二人で暮らしています。我が家は二人きょうだいなのですが、兄はだいぶ前に結婚して家を出たものの、子供はナシ。そして妹の私は、結婚せずに家を出て、子供はナシ。つまり私の両親に、孫はいない。そして今後とも孫はできなさそうな空気が、濃厚。

たとえば我が家の家族全員で、外食をしたとします。すると、テーブルを囲む空気というのがどうも、重いのです。これといって目新しい話題もない。解決すべき大きな問題も、祝うべき大きな幸せも、ない。テーブル全体に、グレイの厚い雲がどんよりとかかっている感じ。

そこに一人でも子供が交じっていれば、ずいぶんムードは違うはずです。

「〇〇ちゃん、イタズラしないの！」

「これ食べたいの？」

といった会話をしているうちに時間は過ぎていくでしょうし、お友達のことや成績のことや、子供に関する話題は尽きることがないに違いない。子供という存在が、天から明るい光をもたらしてくれるのです。

私は、孫ナシ族である我が家のメンバーの平均年齢を計算してみることにしました。すると、兄の妻を含めた五人の平均年齢は、四十八・四歳。これがもし企業であったらと考えてみても、社員の平均年齢が四十八・四歳というのは、かなり魅力の無い会社という感じがします。窓際社員をなかなかリストラできなくて、不祥事を隠しがちで、優秀な新人は他社にとられ、新商品はことごとく滑る……、そんなイメージ。

平均年齢が四十八・四歳の一家が、とある父の日に、中華料理店で食事をしていた時のこと。私は、自分のテーブルにグレイの雲がかかっていることは理解していましたが、ふと周囲を見回してみると、店全体が陰鬱《いんうつ》なムードに包まれているような気がしたのです。

店内をよく見てみれば案の定、その店のほとんどのテーブルが、「老いた両親と、若くない子供」で占められていました。比較的落ち着いたムードの店だったせいか、小さな子供の姿は一切ナシ。老夫婦とその娘らしきアブラっ気のない老嬢、とか。六十代の夫婦とその息子らしきオタク感満載の男性、とか。もうそんなんばっかしが父の日の食卓を囲んでいた。

私はその時、実に実にリアルに、日本の将来の姿、すなわち〝少子高齢化が進んで活気がなくなった社会〟というものを、頭に思い浮かべることができたのでした。老いた親とその若くない子供達が、笑い声もたてずに、固い食材はよけながらぼそぼそと食事をする中華料理店の、冴えない感じ。これこそが、日本の未来像なのです。

〝ふーむ、どこの家庭でも同じなのだなぁ〟と思ったのは、妊娠中のよしもとばななさんのインタビュー（「波」平成十四年九月号）を読んだ時でした。ご両親は歳を重ね、お姉様は結婚していないという状況下において家族のムードはしんみりとしており、であるが故に生まれてくる赤ちゃんは非常に歓迎されている、と。全てを備えているように見える吉本家をしてそういうことは、ましてや普通の家庭をや。

負け犬仲間達と話していても、「家族という集団そのものの老化」の話題は、よく出てきます。負け犬現象というのは、遺伝なのか環境なのか、なぜか兄弟姉妹で伝染することが多い。我が家のように、きょうだい全員が子ナシだったり負け犬だったりという、負け犬のブリーダーのような家族は、珍しくありません。

そんな負け犬ブリーダー家に育ったある四十代負け犬は、

「うちの母親が最近、『私はあなたを看取《みと》ってから死にたい』ってよく言うのよ」

と言っていました。

「うちの母親は、結婚もせず子供も産まない私が、不憫《ふびん》でならないのね。私が一人で死ぬ、というのが可哀相でたまらないんですって」

と、さらに彼女。

私はその話を聞いて、非常に感動しました。彼女のお母様の欲求は無茶なもののように思えるけれど、娘を一人で死なせたくない、看取ってやりたい……とは、究極の母性愛ではないか、と。その愛をもってすれば、百歳の母親が七十代の娘を看取る、ということもあり得るのかもしれません。

確かに私達負け犬は、母親から見たら可哀相な存在なのでしょう。考えてみれば母親というのは、結婚もして子供も産んだということで、私達負け犬から言わせれば「勝ち犬」の立場。母娘とはいえ、その立場は勝ち犬と負け犬ということで、大きく異なります。そりゃあ、可哀相にもなりましょうや。

その話を聞いて深くうなずいてから、私は言いました。

「我が家では父親が既に七十歳を迎えたのだが、このまま孫がいない状態が続くと、いつまでたっても『敬老』という作業ができない」

と。

七十歳過ぎの父親は、よくあるパターンなのですが「自分は老人ではない」「老人扱いされたくはない」という確固たる思いを持っています。が、世間で七十代と言えば立派な老人。敬老の日が来れば、〝ああ、敬老した方がいいのかしらん〟とも娘としては思う。が、ある年の敬老の日に、突然子供達から敬老されたとしたら、父親としてはショックを受けるでしょう。おそらく勝ち犬家庭においては、孫ができた時から、老いた両親は「ジジ、ババ」となり、敬老の対象となる。孫にプレゼントを渡されれば、自分を老人だとは認めたくない親であっても、相好を崩すはずなのに……と思うと、何だか父親が不憫に。

「このままずっと、敬老の日に気付かないフリをしていくっていうのも何だかねぇ」

「でもお父さまも、八十歳くらいになれば、素直に敬老される覚悟ができるんじゃないの……？」

と、負け犬達の会話は続くわけですが。

負け犬の増加は家族全体の老化を呼び、社会が活性化しない要因となる。……これはじゅうぶん理解しているところですが、もう一つ、「負け犬本人が老人っぽい」という部分も、社会の非活性化をさらに推し進めてしまう一因となっているのではないかと、私は思います。

結婚もせず子も産まずという負け犬は、自分の好きなことばかりしているから若々しいというイメージが、ややもするとあるかもしれません。が、それは違う。外見は個人差があるとしても、負け犬の内面はずいぶんと、老人臭いものなのです。

それというのも負け犬には、自分のことだけを考える時間が、老人と同じくらいにたっぷりとあるから。勝ち犬達が、結婚生活の維持とか子育てといったことに躍起になっている間、負け犬はひたすら内省しながら生活しています。ああでもない、こうでもない……と考えていく結果、精神はずいぶんと擦れ、老成し、諦念のようなものが浮かんでくる。

行動も、決して若々しくはありません。買物だの海外旅行だのおいしいレストランへ行くといったことは、既に三十代の前半までにとっぷりと経験済み。

「もう海外旅行って疲れるしねぇ」

「行きたいところはだいたい行ったし、国内旅行の方がいいわ」

「新しいお店に行きたいとも思わないし」

「本当においしいお店を何軒か知っていれば、それ以上はもういいって感じよねぇ」

と、枯れた会話を交わすようになるのです。

これはほとんど、八十代の感覚だと私は思います。普通の勝ち犬であれば、子育てに忙しい三十代・四十代を終えて、やっと五十代になってはじめて、夫婦二人、もしくは女友達同士で海外へ行ったりお芝居を観たり食べ歩きをしたりという、気ままな行動ができるようになるもの。老親の介護を終えて七十代になり、また海外旅行熱が盛り上がったりもするので、彼らが本当に枯れるのは八十代になってからなのです。

対して私達は、勝ち犬が五十代以降になって初めて体験できることを、二十代からやっている。だからこそ四十代を迎えるより前に、既に恬淡《てんたん》の域に達してしまうのです。

「最近、松の美しさがわかるようになってきた」

とふと漏らした三十八歳・負け犬の言葉に、私はおおいにウケると同時に、ちょっとした哀しさも感じるのでした。

私も日頃、自分の生活パターンがあまりにも年配者のそれと合致する部分が多いことに、時折「それでいいのか」と思うことがあります。

たとえば一人旅にぶらりとでかけて神社仏閣へ立ち寄ってみれば、そこはリュックを背負って帽子をかぶった年配者でいっぱい。湯治《とうじ》宿に行けば、湯槽《ゆぶね》の中はおばあさんだらけでダシも出ない感じ。歌舞伎を観に行けば、歌舞伎座も年配婦人の白粉《おしろい》の匂いでムンとしているし、お習字の教室に行っても若い人はいない。日中、電車やバスに乗っていても、見回せば病院通いの老男女が溢《あふ》れている。

そんな時に、私はしみじみ思うわけです。自分の今の生活というのは、ほとんどおばあさんと同じなのだ、と。果たしておばあさんライフを若いうちから続けていると、本当のおばあさんになった時、私はどんな風になってしまうのか……？

とある西洋の人が、

「日本人の女性は、少女から『女』にならず『おかあさん』になってしまう」

と言ったそうです。しかしそれを言うなら、

「負け犬は、少女から『女』にならず『老女』になってしまう」

ということで。いずれにしても日本は大人の女性というものが発生しにくい場所であり、少子高齢化が進むにつれて若さの希少価値だけがますます輝くことだけは、確かなのでしょう。

負け犬の恐さ

女性は、年齢を重ねていくにつれて「恐く」なっていく生きものです。どのような恐さか。これは、詳しく説明するまでもありますまい。底意地の悪さや容赦の無さやあけすけさが加齢とともに身につき、周囲に恐怖心を与える。これは女性特有の現象と言えましょう。

私がこの事実に気付いたのは、大学を卒業し、就職した時でした。仕事で出会う年上の女性達の中に、時折キラリと光る恐さが見られたのです。

別に、いじめられたわけではありません。が、新入社員である自分の中に確実に存在する、しかし自分では意識していない「何か」が、年上の女性の恐さをかきたてているような気がした。それは、たとえばおじさんサラリーマンの中には絶対に見られない類《たぐい》の恐さであり、そこで私は初めて「女性が恐くなること」について、意識を馳せるようになったのです。

二十代女性というのは、自分が歳をとることについて、想像力を持っていません。自分もいずれは恐くなるという可能性については、全く考えていないのです。

私も、年上の女性の恐さに接した時、〝いや〜ん、なんか恐い〟くらいにしか思いませんでした。時には、

「○○さんから、こんなこと言われて恐かったんですぅ……」

などと、可哀相な小羊ちゃんヅラをして、男性社員に訴えたりしたものです。

しかし最近、自分自身もどんどん恐くなりゆく事実に、私は気付かざるを得ません。たとえば二十代の人と仕事をしていて、〝……ったく、わかってねぇなぁ〟と、心の中で毒づく。彼等の仕事のやり方ばかりでなく、礼儀までもが気になり、思わず注意をしたくなるものの〝どうせ浅い付き合いで終るわけだし、言ってもしょうがないしなぁ〟と、呑み込む。

また、知り合いの若い女子が、何の手入れもしていないらしいボサボサの眉毛のままでいるのを見ると、〝これは親切なのだ〟と自分に言い聞かせつつ、

「あのさぁ、その眉毛、もうちょっとどうにかした方がいいんじゃないの？」

などと言い放ち、

「そ、そんなこと、今まで誰にも言われたことありませんでした」

とビビらせる。これぞ、老婆心。

さらには、電車の中で流行《はや》り言葉を駆使しつつメイクに余念の無い若者達を眺めつつ、マグマが煮えたぎる活火山の噴火口に、彼等をまとめて突き落とす想像をしてみる。

……そんな想像をしながらしみじみ、〝おお、私も見事に『恐い女』になったものよの

う〟と感じる私。もし私が今も会社員だったとしたら、新卒の女子社員は先輩男性社員に対して、

「酒井さんって、何か恐いんですぅ」

と、可哀相な小羊ちゃんヅラで訴えることでしょう。

女の恐くなり方は、負け犬か勝ち犬かという生き方によって、微妙に異なります。既婚・既産の勝ち犬は、家族やご近所といった、近距離にある世間というものに対して、恐怖心を与える。対して負け犬は、主に若者という存在に対して、恐くなる。

負け犬の立場から解説させていただくと、負け犬が身につけてしまう恐さの原因とは、若さに対する嫉妬なのだと思います。つまり私が新入社員の時、〝自分の中の何かが、年上の女性の恐さをかきたてているのではないか〟と思った「何か」とは、今思えば若さのことだった。

女性は若いほど良いとされているのは厳然たる事実であり、自分達も若い時代はそれなりに得をしてきた。であるからこそ、若くなくなった時、〝たいした能力は無いけれど、年齢的には明らかに自分より若い娘〟が、年齢を重ねて能力を積んだ自分よりも得をしているのを見て、イラついたりムカついたりするのだと思う。

対して男性は、若い方が良いという種ではありませんし、若いから得をするわけでもありません。だからこそ彼等は、

「今時の若い者はけしからん」

といった公憤は持てど、若者に対して私的に意地悪な気持ちにはならないのでしょう。

思えば、私が自分の中に恐さの芽生えを感じ始めたのは、負け犬年齢にさしかかってきた三十二、三歳の頃でした。それは、若さによって得られる〝得〟の量が目立って減ってきた時代でもあり、また、自分が「年下」という立場でいられることが少なくなってきた時代でもあります。

それ以前は、仕事においても、自分より年上の人達と一緒の機会がほとんどだったのです。が、次第に自分より年下の仕事相手が多くなり、下手をすると自分が最長老という事態もでてきた。

ふと気が付くと、若い人々のアラの部分にいちいちカチンときている私がいました。〝自分が若い頃もひどかったではないか〟と思おうとしても、〝いやしかしこれほどではなかった〟とイラつく。

元々私は、年下の人よりも年上の人と一緒にいる方が、ずっと得意なタイプなのでした。年下から慕われるという徳は、間違っても持っていない。

「そんなこと言ってもさぁ、これから歳をとればとるほど、自分より年下の人ばっかり増えていくのよ。年上の人なんか、どんどん死んでいっちゃうんだから」

と、年下から慕われるタイプの友人は言います。確かにそれは、もっともな意見。この先、七十歳のバアさんになってまで、

「年下は苦手なんですアタシ」

などと言い続けるわけにはいかないのであり、私も年下から慕われるタイプになってみたいものだ、とは思う。

しかしある女性の言葉を聞いて、私は安心したのです。その人は五十代半ばの、若い友人をたくさん持っている女性。

「いいですねぇ、年下の人に人気があって」

と私が言うと彼女は、

「私も四十代までは、若い人と仲良くしようなんてちっとも思えなかったのよ。でも五十歳になったら、急に二十代も三十代も、可愛く思えるようになって、ごはんをご馳走してあげたりするのが楽しくなってきた……」

と言うではありませんか。

私は、そこでハタと気付いたのです。もしや女性には、「二十歳下の法則」というものがあてはめられるのではないか、と。

私は今、二十代の子のことは、男も女もあまり可愛いとは思えない。が、モーニング娘。のチビッ子達のことは、しみじみと〝ああ、可愛いなぁ……〟と思えるのです。加護ちゃんや辻ちゃんが一生懸命に踊っている姿を見ると〝あんなに小さいのに、いじらしい〟と思うし、新メンバーが入ってくれば、〝いじめられないだろうか〟と心配になる。

モーニング娘。のメンバーと私の年齢差は、だいたい二十歳くらい。前出の女性も、五十歳を過ぎてから、三十代以下の人が可愛いと思えるようになってきたという。女性というのはつまり、年下女性に意地悪な心理を抱くとはいっても、それはあくまで近年齢憎悪的な心理。自分より二十歳くらい離れてしまうと、「敵ではない」と見做《みな》すようになるのではないか。

三十代女性がなぜ二十代を可愛いと思えないのかというと、まだ三十代では若さの記憶が生々しいから、なのです。むしろ自分はまだ若いとすら思っている人も多いからこそ、「私だって若いのになぜ」と、二十代女性に、自分の利益を不当に荒らされているような気になってしまう。

特に負け犬の場合は、一応はまだ売り物という立場です。製造年月日が古い牛乳は、たとえ前列に並べられていたとしても、賢い消費者は新しい製造年月日の牛乳を買うものです。陳列台に残された古い牛乳は、新しい牛乳に対しても、そして新しい牛乳を選ぶ消費者に対しても、腹を立てる。

負け犬の恐さは、若さへの嫉妬からくる恐さ。……であることを考えて理解できるのは、

「若さに対する執着が強い女性ほど、恐さも強い」

ということです。

自分の周囲を見ていて、〝他人のことは言えないが、この人って恐い……〟と思える人は、歳をとることを素直に受け入れない人、つまり精神的にも肉体的にも、

「私ってすごく若いって言われるんです。とてもその歳には見えないって」

みたいなことを強い誇りとしている人であることが、多い。彼女達は、本物の若者に対していつまでもライバル意識を捨てきれないうえに、「若々しい私が恐いはずはない」と、自らの恐さも自覚していないところが、ますます恐い。

最近は、無理に若々しくいようとするよりも、上手に自然に歳をとっていく方がおしゃれ、という流れもあるようです。その流れを理解している人は、

「私なんかもうおばさんだからさぁ」

的な発言をすることによって、若者達に〝この人に対しては、『とてもその歳には見えない!』なんて嘘を言わなくてもいいのだな〟という安心感を抱かせることができます。が、安心するのはまだ早い。

「私なんかもうおばさんだからさぁ」

という発言の裏には、〝こんな風に言えば、相手は『何言ってるんですか、とってもお若いのに!』と言ってくれるに違いない〟という目論《もくろ》みがあったりするのですから。気を抜いて、

「でも、おばさんの世界っていうのも楽しそうですよねぇ」

などと若者が言おうものなら、本当は自分がおばさんだとは思っていないおばさんの瞳には、怒りがもたらす紅蓮《ぐれん》の炎が燃え上がるに違いありません。

しかしこの「恐さ」、女性が歳をとることによって新たに得る性質ではないように思うのです。おそらく女性は、本質的に恐い生き物なのだけれど、若さというものが、一時的

に恐さにフタをしてくれる。その状態で、

「カマボコって、おトトからできてるの？」

などと言いつつ様々なものをおびき寄せ、ガッチリ獲物がかかってから恐さを小出しにしていくというのは、生物としての戦略。しかし負け犬の場合は、獲物がかからないうちに若さというフタがとれ、恐さが露呈してしまっているのです。

歳をとって女性が恐くなると、昔は、

「欲求不満なんじゃないの？」

とか、

「更年期障害なんじゃないの？」

などと、周囲が揶揄《やゆ》したものです。が、そんなことを今の時代に言っていては、セクハラや女性差別のかどで、訴えられかねません。

男性としては、「昔は可愛かった女性達が、なぜこんなになってしまったのだろう……」と、恐さと悔しさと絶望感が混じり合ったような気分でつい、差別発言をしたくなるのでしょう。しかし、元々女性は恐いのだと思っていただければ、少しは諦めもつくのではないか。

私も、自分の中の恐さを自覚し始めて以来、〝こんなことではいかん。もっと柔和な気持ちを持たなくては〟とは思うのです。が、〝……ったく若いモンはよー〟という気持ちは、禁じ得るものではありません。

先達が言ったように、五十歳になれば本当に、二十代のことを可愛いと思えるようになるのか。解脱《げだつ》の時を夢見て、若さの記憶と闘う日々なのです。

負け犬と純粋

負け犬は、恐い。このことについては、前回書いた通りです。

恐い負け犬と言うと、昼間は会社で若い後輩をいじめ、夜は居酒屋のカウンターで一人、タバコの煙を鼻から出しつつ、

「……ったく……」

などと世間に対するグチをつぶやき、そのうち居酒屋の常連のおじさんと夜の街に消えてしまうような、心も身体もスレまくった女性を、世の人々は想像なさるかもしれません。が、負け犬の実態はそうではないのです。

負け犬の二大特徴というものがあるとすれば、「恐い」こととともう一つ、「純粋」ということなのではないかと、私は思う。同年代の勝ち犬と負け犬を比べてみても、負け犬の純粋性は、明らかに際立《きわだ》つのです。

負け犬は、元々が純粋だから、負け犬になったのか。

それとも、負け犬になると、人は純粋化してしまうのか。

……としてみた時、「両方があてはまる」と言うことができましょう。

負け犬はもともと、結婚というものに対する深慮遠謀を、全く持っていない生き物です。世の中には、若い娘のうちから「どう考えても、自分で働いて自活するより、働きの良い夫を見つけてその庇護下にいる方が快適な人生を送れるだろう。なまじっかなキャリアより、頼れる夫だ！」ということを自覚し、より良い結婚をするために全精力を傾ける女性が少なくありません。「ＪＪ」的な雑誌は、その手の女性にとっての業界誌と言うことができましょう。

対して負け犬的素質を持つ人には、その手の貪欲さ、という言い方に語弊があるとしたら合理的精神が、ありません。負け犬はむしろ、いつまでもひたすら「愛」のことを真面目に考えていたりする。

「やっぱり結婚する相手は、心から愛しあえる人でないと……」

と吐《ぬ》かしつつ、お金の全く無い自称アーティストとか、

「俺、もうすぐ会社辞めるから。落ち着くまで結婚はちょっとな……」

と毎月のように言いながら、絶対に会社を辞めないサラリーマンなどにひっかかっていき、

「でも彼にも、いいところあるし……」

などと言っているうちにどんどん年月は過ぎ去る。気がつけば、元ＪＪ派は安定感のある結婚をして「ＶＥＲＹ」や「ＳＴＯＲＹ」を読むようになり、自分は負け犬街道を着々と進んでいるのです。

今となっては、

「しっかりしろ！　ＪＪ派はこの間にも将来設計を着々と固めているというのに、ボーッとしている場合ではない！」

と、まだ若い負け犬予備軍達にハッパをかけたい気分の私ですが、しかしＪＪ派にとって負け犬に「勝つ」など、赤子の腕をひねるより簡単なこと。ハナから相手にされていないような気も、しないではありません。


元来が純粋な性質である負け犬は、三十歳を過ぎて〝ああ、どうやら私は負け犬化してきたらしいな〟という自覚が固まりはじめた頃から、加速度的にその純粋度を高めていきます。

たとえばセックスに関しても、

「もう、どうでもいいセックスなんて、しないの。一生愛し続けることができる人とだけ、セックスをする！」

と、後半だけ聞くとまるで少女漫画を耽読《たんどく》する中学生の処女、みたいな発言が聞かれるのです。負け犬は歳をとっている分、二十代で結婚した勝ち犬より性的経験は豊富ではあるのですが、たとえばセックスを職業とする人にしばしば見られるように、意識の上ではとても清純。

この、

「一生愛し続けることができる人とだけ、セックスをする」

といった発言は、確かに中学生の処女のようではありますが、同時にさんざヤンチャをしてきた六十代の元遊び人の男性のような発想でもあります。元遊び人というのは、枯れてくると同時に「最後の女」というものを求めるのだと言いますが、負け犬もまた同じように、「最後の男」を求めている。〝あんなことやこんなこと、それなりにやることはやった。だから今は……〟という、精神性の勝《まさ》った恋愛相手を求めているのです。もうほとんど、オヒョイさんとか岡田真澄の世界。

セックスのことを真面目に考えすぎるところも、負け犬が縁遠い一因でしょう。負け犬同士で話していてよく出る話は、

「結婚生活にセックスさえ伴わなければ、私はいくらでも結婚するのに」

といったこと。これはどういう意味かといいますと、

「結婚が、ただ精神のつながりのみでできるのであれば、『とっても良い人』はたくさんいる。しかし『この人とセックスできるか？』と考えると、『とっても良い人』達とはとてもできない。たとえ最初の一回だけ我慢すればいいとしても、それすらも絶対に無理。セックスゼロの結婚生活ってできないものか！」

ということ。

「だってお金持ちだしー。セックスなんて目をつぶっていれば誰とだってできるじゃん」

と、ヨーダにそっくりな歯医者さんと結婚するなどという芸当は、負け犬にはできないのです。

ここから理解できるのは、負け犬とは決して「全くモテない人」ではないということです。全くモテない人というのは、異性と接触があった時、「これを逃したらもう後は無い」と思って必死に食い付くので、えてして普通に結婚していがちなもの。

対して負け犬気質の人は、若い頃から意外とモテている。質はどうあれ、言い寄ってくる人は定期的に現われるし、食事をする異性の相手にも困りません。だからこそ、〝ま、次でいいか……〟と、どんどん寄せる波を見送ってしまう。

負け犬の前に現われる男性はしかし、負け犬が奥底に持っている真の純粋性をわかってはくれません。さらに負け犬は、「恐さ」というもう一つの特質を持っていますから、ちょっと気に入らない部分を男性にみつけると、

「あーもうイヤダ、こんな男……」

と、即座に切り捨ててしまうのです。

純粋な負け犬達が、ちょっと寂しい気分になった時にポツリと口にしがちなのは、

「私はただ、普通に幸せになりたいだけなのに」

という言葉。

この「私はただ、……たいだけなのに」というフレーズは、歌の詞などにも出てきますが、女性が自己憐愍《れんびん》の情に陶酔しつつ周囲の同情を得ようとする時に、しばしば使用するものです。

このフレーズを口にする女性が何をアピールしたいのかというと、

「私は贅沢《ぜいたく》な希望を持っているわけではない。女のコなら当たり前の、ほんのささやかでちょっと甘い希望を抱いているだけなのに、どうしてそれが叶わないのだろうか。何も悪いことはしていない私なのに、こんなちっぽけな望みすら叶えられないとは、私ってなんて可哀相な人間なのだろう」

ということです。「女のコ」は、そんな風につぶやいてから自分で自分のことが可哀相になってちょっと泣いてみたりするという、まぁこれは自慰行為のようなもの。泣きながら、〝こんな可憐な私を、誰か素敵な人がどこかで見つめてはいないかしら〟などとムシのいいことも、思っている。

しかし「私はただ、……たいだけなのに」の「……」の内容を見ると、本当はちっともちっぽけな望みなどではないことが多いのです。

「私はただ、普通に幸せになりたいだけなのに」

に関しても、

「普通の幸せなんてものが、この世で最も手に入れるのが難しいものだっていうことが本当はわかってるクセに、わかってないフリして同情を得ようとするな！」

と私は突っ込みたくなるのですが、もちろんこの突っ込みが許されるのは負け犬同士の間柄だけであって、勝ち犬のオスやメスがこんなことを言った日には、負け犬から殺されても文句は言えないところでしょう。

周囲の負け犬達を見ていると、そのあまりの純粋さに、私は心配になってくることがよくあるのです。

「私がこの世に生まれてきた意味っていうものをね、よく考えるの」

とか、

「人を信じるっていうのがどういうことなのか、今までよくわかっていなかったんだなぁって、最近は思うわ……」

などとつぶやく負け犬の目尻には、最近増えたと思われるシワが刻まれているのだけれど、瞳だけはキラキラと輝いている。いや本当、新興宗教関係の皆さん。信者の拡大を目指したいなら、今は負け犬が狙い目だと思いまっせ。

同じ負け犬である私は、

「あのね、それはあなたが生物として不自然な時間的余裕を持っているから、そんなことを考えてしまうのよ。この年齢の勝ち犬は、子育てに大わらわで、そんな悠長に悩んでいる暇はないのだから」

と言いたくなりますが、深淵な悩みに輝く瞳を見ていると、そんなことは言えない。

「なんか……真面目なのねぇ」

と、言うしかないのです。

純粋であるということは、とても良いことであるような気もします。が、負け犬にとって純粋さは、決してプラスにはなっていません。

たとえば男性が、〝この人って三十過ぎなわけだし、若い子みたいに面倒臭いことにな

ったりしないよね〟と思いつつ、負け犬に手を出すとする。と、負け犬は関係ができた途端、濡れた子犬のような目になって、

「私のことを本当にわかってくれる人って、どこにもいないの……」

などとつぶやき出してしまう。そりゃあ、重いだろうよ。

今、四十代男性の未婚率がどんどん高まっていますが、彼等は「どうせするなら二十代の何も知らない若い子と」と思っているうちに歳をとってしまったというタイプが多い。三十代以下の男性にしても、「面倒」とか「重い」といったことから結婚を避ける傾向にあるわけで、そんな未婚男性達が、妙に経験は豊富なのに、

「私がこの世に生まれた意味っていうのはね……」

などとつぶやきがちな三十女に対して食指を動かすとは、とうてい思われないわけです。

負け犬本人は「私はこんなに純粋なのにどうして相手がいないのだろう」と思っていても、周囲はその純粋さ故に、引いてしまう。自らの純粋性がアダになっていることにうっすら気付きながらも、「でもこの純粋さを理解してくれる人でない限り、結婚なんてできないわ」と思うところが、負け犬の負け犬たる所以《ゆえん》。

純粋であることがアピールポイントになるのは、もしかしたらごく若いうちだけなのかもしれません。負け犬に限らず、歳をとったら人は、たとえ純粋さを胸の中に持っていても、「私って純粋でしょう?」とこれみよがしにふりかざしてはならないのでしょう。シ

ワと純粋さのカップリングは、傍《はた》から見ていると、どうにもすさまじいものなのだから。

コラム

オスの負け犬

メスの負け犬が、世の中には大量にいる。……このことを逆から見れば、オスの負け犬も世の中にはたくさんいる、ということにもなります。私達は女人国で生きているわけでもなければ、また同世代の男性が戦争で大量死してしまったわけでもない。男も女もだいたい同数いる中で、独身として生きているわけですから。

晩婚化や少子化が論じられる時は、たいていそれらは女性の問題として捉えられることが多いものです。女性の社会進出が進んだから結婚しないのだ、とか。女性がもっと子育てをしやすい環境を整えなくてはならないのだ、とか。

しかし私は、この晩婚化・少子化の原因の半分は、否、半分以上は男性のせいなのではないか、という気持ちを持つ者です。女性側には、「男性から積極的にアプローチされれば、拒みはしない」という人も多いもの。それなのに、

「セックスしたい!」

「結婚したい!」

「子供が欲しい！」

という欲求を、今を生きる男性があまり持っていないから負け犬が大量発生する、という事情も、あるのではないか。

では、オスの負け犬とはどのような人なのかというと、

・あまり生身の女性には興味の無い人
・女性に興味はあるけれど、責任を負うのは嫌な人
・女性に興味はあるけれど、負け犬には興味の無い人
・女性に興味はあるけれど、全くモテない人
・女性に興味はあるけれど、単にダメな人

とまぁ、このような分類ができるかと思いますので、最初から解説していきましょう。

・あまり生身の女性には興味の無い人……オタ夫

この中にはゲイも含まれるわけですが、日本の場合、たまに独身男性がいたかと思えば九割方の確率でゲイ、という状況ではまだありません。ここで問題になってくるのはゲイではなく、女に対しての興味は尋常でないものがあるけれど、その興味が普通の女性には向かわない人、のことなのです。

彼等が興味を持つのは、女性アイドルとか、幼少の女の子とか、女性の肉体における特定の部位とか、女性との特殊な行為を妄想上で楽しむこと。彼等は「オタ夫」、すなわち日本が世界に誇るおたく系の男性であるわけですが、彼等は自分の脳内で自らの嗜好を追求することによって自足しているので、なかなか結婚とか子孫繁栄といった具体的行為には結びつきません。

実際の肉体は使用せず、コンピューターや雑誌や妄想の中だけで女性を楽しむことができるという意味において、オタ夫は未来的で、知的な人なのです。

対して女性は、男性を犯していくエロゲーにハマりまくる人とか、男のアキレス腱だけを眺めていれば満足できる人というのは、少ない。女性はまだまだ生身の男性でないと満足できないことを考えると、オタ夫と比べれば原始的と言えるのかもしれません。

おそらくオタ夫は、コンピューター上であれ脳内であれ、生身の女性と実際にセックスするよりもずっと激しく大胆で特殊な行為を、日夜繰り返しています。女性から電話番号やメイルアドレスを聞き出し、食事に誘い、思い切ってキスをしてみたら拒まれなかったのでセックスもしてみて……というような手続きを踏んだ通常の男女交際など、まだるっこしくて一生できないであろうということは、間違いありません。

・女性に興味はあるけれど、責任を負うのは嫌な人……ダレ夫

まぁ普通に女性とは付き合うけれど、長続きしない。付き合っても、電話やメイルの頻度がとても少ない。女性側からアピールされれば応えないでもないけれど、あまりに向こうがやる気マンマンだと、途端に萎える。……ここに分類されるのはこの手の男性、つまり「ダレ夫」です。

性欲も、多くはないけど無くはないので、女性とはセックスもする。しかし自分の部屋でセックスが終わると途端に一人になりたくなり、いつまでも女性がそこにいると「早く帰らないかなぁ、見たいＤＶＤもあるのに」などと思うダレ夫。

ダレ夫は、ひどく不細工なわけでもなければダサくもなく、さらには無職でもありません。ですからメスの負け犬は、三十代後半のダレ夫を発見して首尾よくセックスなどしたりすると、

「きたきたきたーっ、やっときたーっ！　私は砂漠で宝石を見つけたんだ！」

と、色めき立つのです。そして「彼はきっと、自分とぴったり合う特別な女性を求めていたから今まで独身だったのだわ。そして私こそがその特別な女性であり、〝最後の女〟なのね！　待っててよかった」と、思いっきり好意的解釈をしてうっとりする。

が、そんなうまい話がそうそうあるわけはありません。ダレ夫は、メス負け犬の瞳にある猟犬のような光や、物欲しげなハァハァという吐息や、尻尾を思いっきり振っている空気を敏感に察知し、すぐさま「アー重い」と思ってしまいます。

その後、何回か食事やセックスをするものの、将来に対する発展的な話題は全く出ず、付き合っているのかもはっきりしない。それどころか彼は、会話の中で「今度」という言

葉を使いません。つまり未来を約束するようなことは、絶対に言わないのです。気がつけば、電話やメイルもいつも女側から。

そのうち、いくら女性からメイルを出しても返事が来なくなって、付き合いは自然消滅します。自分が特別な女でも最後の女でもなかったことを知り、負け犬は肩を落とすのでした。

ダレ夫はつまり、とても面倒臭がりの上に、孤独を愛する性格なのです。特定の女性とベッタリ付き合うことはもちろん面倒だし、いわんや子供をや。つまりは自分が好きでたまらないが故に他人まで愛をまわす余裕など持ち合わせていないのが、ダレ夫であると言えましょう。

・女性に興味はあるけれど、負け犬には興味のない人……ジョヒ夫

顔も趣味も収入も、まぁそこそこ。……という意味では、ダレ夫と同じ。さらに彼等はダレ夫とは違い、結婚欲はかなり旺盛であり、良い相手がいればすぐにでも結婚したいと思っています。それなのに何故、彼等がオス負け犬の立場に甘んじているかといえば、良く言えば「理想を追い求めている」からであり、悪く言えば「身の程知らず」ということになる。

彼等は、たとえ自分が三十八歳であれ四十六歳であれ、二十代の嫁が欲しいと思っていたりします。負け犬でもいいと思えば嫁候補の人材はわんさといるのに、

「僕は子供がたくさん欲しいのでやはりもう少し若い方のほうが……」

などと言う。おめぇ自分の歳考えろって。

彼等は基本的に、低方婚指向が強い人々なのです。男女平等ということは頭では知っているけれど、魂では、女より男の方が上と思っている。そんな彼等のことは、根っこの部分で男尊女卑ということで、ジョヒ夫と命名いたします。

自分が女性より少しでも上にいたいからこそ、様々な条件が最初から自分より下の女性を求めるジョヒ夫。しかし彼等が唯一、自分より女性の方が高レベルである方が良いと思っている条件が、容姿。

彼等が結婚できずにいる原因は、この部分にあると言っても過言ではありません。つまり彼等の欲求を一言で言えば「若い美人をかしずかせたい」なわけですが、残念なことに今の時代、そんな殊勝な心がけを持った美人はそうそういないのです。

男性に尽くす美人も、ゼロではありません。が、美人が尽くしている相手は、すごくお金持ちで格好良くておまけに性格も良い、みたいな男性。並の経済力と並の容姿で、

「やはり若い美人が……」

という希望を持つジョヒ夫が余りゆくのは、あまりに自明なことなのです。

それでも負け犬には手を出そうとしないジョヒ夫の気持ちも、わからなくはありません。負け犬は、外見も性格も別に悪くはない人達ではあるけれど、いかんせん様々な意味において経験値が高すぎる。どんなレストランに連れていっても、

「ここ、前はたまに来たけどシェフが替わってからはイマイチよね」

と感動してくれないし、自分の意見は主張するし、下手をすれば自分より収入が多いこともある。ジョヒ夫としては、「なぜここまで待っていてこんな生意気な女と！」という気分にもなりましょうや。

その点、二十代のギャルは、明らかに負け犬より御《ぎょ》し易《やす》い存在です。寿司屋に連れていけば、

「うわぁ、回らないお寿司屋さんって初めて！」

と、無邪気に喜んでくれる。政治や経済についてよく知らないところも、初々しい。しかし悲しいかな、彼女達にとってジョヒ夫は、単なるオヤジでしかありません。ギャルはジョヒ夫から迫られると、「えっ、こんなおじさんでも恋愛とかしたいと思うわけ？気持ちわるーい」とばかりに、ピューッと逃げていく。そして再び、ジョヒ夫は一人とり残されることになるのでした。

・女性に興味はあるけれど、全くモテない人……ブス夫

つまり、結婚はしたいし、ジョヒ夫のように高望みもしていないのだけれど、どうにもモテなくて、という人のこと。顔が一般受けしないとか、とても内気で女性とうまく話せないとか、可哀相なくらい若ハゲとか、農家の跡取りとか、その原因と思われる条件は色々あるのですが、ここでは一括《ひとくく》りに「ブス夫」としておきます。

顔が一般受けしないとか内気とか若ハゲとか農家といった男性は、昔から存在していまず。しかし昔は、どんな人であっても「人間として生まれてきたからには結婚するのが当然」であったので、周囲の大人達が一生懸命に相手を探し、同じレベルのブス子などと結婚させていたのです。

ところが結婚が人間として当然の行為ではなくなってきた今、ブス夫は放置されがちになりました。

「まぁ、個人の考え方が色々とあるだろうし」

と、周囲もあまりおせっかいを焼きません。また、たとえブス子と知り合ったとしても、今はブス子の側にも「私にも選ぶ権利はある」という意識があったりする。昔のように、親にあてがわれた相手と素直に結婚するような素直な娘っこは、もう絶滅したのです。

かくしてブス夫は、余りゆく。お見合いパーティーに参加してみたり、風俗に通ったりして日々を過ごすブス夫。可哀相ではあるけれど……、これも自然の摂理というものなのかもしれません。

・女性に興味はあるけれど、単にダメな人……ダメ夫

暴力。キレる。飲酒に薬物。ギャンブル。女癖悪い。仕事しない。マザコン。……等々、「ダメ夫」のダメさは実に様々。

彼等の特徴は、女性と付き合う時、最初のうちはそのダメさを出さない、というところです。彼等としても自分のダメっぷりは自覚しており、「この女にだけは自らのダメさを見せまい」と、毎回思っている。ダメ部分を一生懸命に隠しているため、女性にしてみると、むしろ最初のうちは並の男性よりも魅力的に見えたりもするのです。

が、やはり我慢というものはそう長いこと続くものではない。ある日、女性がちょっとしたことで彼を軽く非難すると、彼の目つきが急変。無言ですっくと立ち上がり、バコーンと殴った壁には拳の形の穴が開いたりするのです。

メスの負け犬たる者、この手のダメ夫の一人や二人や三人や四人、過去に付き合った経験があるものです。ダメ夫などにひっかかっているから負け犬になったのだという説もありますが、既に経験を詰んだ負け犬は、同じ間違いは犯しません。男性がバコーンと壁に穴を開けた時点で、

「やべぇやべぇ、ドメバイ男だったか。さっさと逃げるに限る」

と退散するくらいの知恵はつけているのです。

経験を積んでいない人、もしくはダメ夫マニアの人は、壁に穴を開けられても、逃げるようなことはしません。彼女達は、

「この人は可哀相な人。私がいてあげなくては駄目なのだわ」

と、そばに居続ける。中にはダメ夫と結婚までする人も、いる。早々とダメ夫から逃げだした負け犬は、ダメ夫からの日々の暴力に怯えたり、浮気されまくったり、言われるが

ままにお金を貸してあげたりする女性達を遠くから眺めつつ、「男と付き合うって……、並大抵の覚悟ではできないことだわな」と思うのでした。

以上のように、実に様々なタイプのオスの負け犬が日本には生存しています。と言うより、日本にいる三十代半ば以上の独身男性というのは、オタ夫か、ダレ夫か、ジョヒ夫か、ブス夫か、ダメ夫かのいずれかなのです。メスの負け犬が大量発生するのも仕方のないところ、ではありませんか。

私も最近は、自分と釣り合う年齢で独身の男性を見ると、
「この歳まで独身でいるということはつまり、オタ夫かダレ夫かジョヒ夫かブス夫かダメ夫なのであろう。いったいどこに欠陥があるのか?」
と、ついアラ探しの目で見てしまう。また負け犬友達に独身の彼ができたという話を聞いても、諸手《もろて》をあげて祝福するというよりは、
「でもさぁ、なんでその人って、今まで結婚してなかったわけ? 絶対裏に何か理由があるはず。特に、顔が普通でハゲてもいないのに独身っていう人の場合は危険よ、危険!」
と、冷水を浴びせかけてしまう。

負け犬の頭の中には、「自分達、つまりメスの負け犬はまともな人が多いが、結婚経験の無いオスの負け犬は何らかの決定的な欠陥を持つ人が多い」という偏見があるのです。

だからこそ、離婚経験者の男性はモテるのでしょう。バツイチの人というのは、少なく

とも一回は女性から選ばれ、相手の家族と姻戚《いんせき》関係を結ぶという面倒臭いことを経験しています。結婚に失敗したとはいえ、その経験がある分、「まともじゃない」という危険は少ないのでは、と女性に思わせるのです。

「初婚の男より、二巡目狙いで行く!」

と宣言する負け犬が多いのも、納得できるところです。

このように日本に生きる負け犬は、オタ夫やダレ夫やジョヒ夫やブス夫やダメ夫の間をかいくぐりながら、「まともな男」を探して生きている。まともな独身男など残っているわけがないと知りつつもそれでも、「いつかは……」などと、パンドラの箱に最後に残った希望という飴玉を、なくならないように大切にしゃぶり続けているのです。

ということで政治家及び役人の皆さん。晩婚化や少子化は、女をどうにかすれば解決する問題ではないのです。オタ夫が生身の女性に興味を持つようにし、ダレ夫に責任感を持たせ、ジョヒ夫に高望みをやめさせ、ブス夫にはもっと押しを強くするように指導し、ダメ夫のダメさを矯正する。これだけで日本の将来はずいぶんと変わるのではないかと思うのですけれど……って、そんなことが可能だとは、私もさらさら思ってはおりませんけれど。

負け犬の処世術

負け犬と女の幸せ

世の中には、相手を完膚《かんぷ》なきまでに打ちのめすことができる、「それを言っちゃあおしまいよ」的な罵倒のフレーズが存在します。

たとえば女子高生がサラリーマンに、

「オヤジは黙ってろ」

と言ったとしたら、彼は黙るしかない。また容姿に自信の無い女性は、

「ブスのくせに」

と言われると、ナメクジに塩状態になってしまう（ただし、本当にブスであってもなぜか容姿に自信のある人には、この言葉は全く効かないのですが）。

それらは実にレベルの低い、年齢や容姿を非難するだけの単純な言葉です。が、単純であるからこそ、力は強い。たとえ「オヤジ」や「ブス」であっても、それ以外の部分——知性とか努力とか——を信じて一生懸命に生きている人の足を、「オヤジ」や「ブス」という言葉はあっさりとすくってしまうのです。

同じように、三十代以上の未婚女性を簡単に「殺す」ことができるフレーズが、存在し

ます。たとえどれほど美人で頭が良くてセンスが良くてお金持ちで仕事ができても、こう言われたら言い返すことができないであろうそのフレーズとは、

「あなたは、女として幸せではない」

というもの。

思い起してみれば私も、二十代の頃にはよく言っていたのです。三十代女性がそこにいて、その人が結婚していなかったり不倫の噂があったりすると、

「でもさぁあの人って、なーんか女として幸せじゃない感じがするよねー」

と陰で囁《ささや》いて、残酷な悦《よろこ》びを感じていた。

私は、たとえ全ての面で自分が彼女に負けていようとも、陰で「女として幸せじゃない感じがするよねー」とさえ言えば、彼女より優位に立つことができると思っていました。実際に彼女が女として幸せかどうかなど知らずとも、負け惜しみ半分、そして〝私は若いので、自分より歳をとった女性を哀れむ権利を持っているのだ〟という、嫌ァーな優越感半分で、年上の未婚女性を「女として不幸」と断定していた。

「女として幸せではない」状態とは、

「モテていない」

「結婚できてないし子供も産んでない」

ということを示しています。

「あの人って、女として幸せじゃないって感じだよねー」

というフレーズはつまり、「なんだかんだ言ったってさぁ、あの人って現時点で男から選ばれてないってことでしょー」という意味を持つ。

生涯未婚率はどんどん高まり、出生率はどんどん下がり、「真の男女共同参画社会を」などと叫ばれてもいる現代日本ではありますが、それでもやはり「男のいない女は負け犬」ということに、世の中はなっているのです。

「女の子はね、きれいなお嫁さんになるのが一番の幸せなのよ」

という、いつかどこかの老人が言っていた価値観は、厳然として残っている。

男性の場合は、どうでしょうか。三十代以上になって恋人や妻のいない男性は、可哀相がられたり心配されたり変人扱いされたりすることはあるでしょうが、「男として不幸な人間」とは、みなされません。「男として不幸」というのは「女から選ばれない」ことではなく、「仕事において自らを生かせない」ということ。たとえモテなくとも仕事が優秀であれば、

「〇〇さんは仕事はできるかもしれないけど男として尊敬できない」

などと後輩から馬鹿にもされないはずです。反対に、家庭はどんなに円満でも職場で無能だと、

「男としては……どうなのかなぁ」

と言われることになる。

仕事すらできなくても、男性はその負け犬性を全面に押し出すことによって、活路を見

出すことができます。車寅次郎《くるまとらじろう》にしても、なぜ彼が国民的人気キャラクターとなったかといったら、結婚もせず、子供もいない露天商という気楽な身分だからでしょう。もちろん、彼には漂泊者としての哀しみが常につきまとうわけで、寅さんの映画を観た普通の男性達は「いいなぁ、あんな気楽な身分も」と思いつつ「でも俺には家庭があって幸せなのかも」と思うことによって、変化の乏しい日常生活に戻ることができた。寅さんと同じように山下清《やましたきよし》も山頭火《さんとうか》も放哉《ほうさい》も「男として不幸」とは判断されず、男だからこそその負け犬性が何となく美化されているのです。

寅さん的キャラクターは、男でしか成立し得ないものです。もし寅さんが女で、全国を巡りつつ淡い恋をする中年女という役柄だったら、そこに漂うのは濃厚な哀しみと痛々しさだけ。普通の女性達はその映画を観て「いいなぁ」とは思わないことでしょう。

女性の場合、どれほど仕事で頑張っても、負け犬というだけで、

「でも女として不幸だわねぇ」

と判断され、さりとて「負け犬で文句あっか」と漂泊してみても、美しくは見えないのです。

そこで私が理解するのは、女性の人生における真の仕事とは、恋愛や結婚といった〝つがい作り〟行為なのだなぁ、ということ。金銭を得るための仕事は、「女としての人生」の中では仕事というより余暇活動のようなもの。だからこそ、つがいも作らずに働き続ける女は「女として不幸」であり、つがいは作っても仕事ができない男は「男として不幸」なのです。

「女として不幸」というフレーズは、ここにきてとみに、その罵倒力を高めてきました。それというのも、緒方貞子さんのような人の存在のせいで、「日本で一番優秀で忙しいキャリアウーマンですら、結婚して子供も産んでるのだ。下々の女が『仕事が忙しくて結婚なんてする暇ありません』などと言うのは言い訳だ。単に魅力がないだけだ」という空気が、濃厚になっているから。

昔、「働く女性」はある種の珍獣だったので、たとえ一生処女だろうが未婚だろうが子供を産まなかろうが、「そういうもの」と思われていました。しかし昨今、バリバリ働いて恋愛をして結婚をして子供を産んで……というプチ貞子が、市井に増加してきたのです。

「仕事もしたいし、結婚して子供も産みたい。女として、当たり前のことです」

などと言う、プチ貞子達。そう、ここでもやっぱり出てくる、「女として」……。

私を含め、女として幸せではないとされる未婚女性は、自分が「女として不幸であるらしいこと」に鈍感です。というより、鈍感だからこそ未婚でい続けているのです。

今の生活において、仕事は楽しくて良い友は多く、好きなものを食べて好きな本を読んで好きな所へ行き……と私は人間としてまず幸福なのだが、どうやら「人間としての幸福」は「女としての幸福」には負けるみたいだなぁということも、うっすらと理解できる。

この「うっすら」というのが、私達をして「女として不幸」と判断されるに至った理由なのでしょう。女として幸せな人というのは、女としての幸福を人生の第一義として考えて生きてきた人。「うっすら」などと寝呆けたことは、絶対に言わない。

女として不幸な私が、常識的な大人に、

「いやー仕事が楽しくって」

などと言うと、相手は心底可哀相という顔をして、

「まぁ、仕事もいいけど……」

と言います。「……」の部分を想像してみれば、その人が本当は「女としての幸せを知らないでいいの?」と言いたいのだけれど知性と思いやりがあるから言わずにいることが、私にはよぉくわかる。さらには、これ以上私が何を言っても、その人には負け犬の遠吠えにしか聞こえないことも、よぉくわかる。

その場を丸く収めるコツは、

「本当に、これでいいのかって感じですよねぇ。親も可哀相だから安心させてあげたいんですけどねぇアッハッハ」

と、負け犬に徹することです。女として幸せになりたいとは思っているけどなれないのだ、という意思を表明しないと、相手は決して納得してくれません。余計な気を遣わせて申し訳ないとは思いつつも、その「とっても交わらない感じ」に、私は疲労するのです。

女として不幸と思われることに耐えられない敏感な人、というか負けず嫌いな人も、中にはいます。

「ご結婚なさってるんですか？」

「いえしてません」

といった会話が交わされるとすぐさま、「でも私はこんなにモテる」とか「ボーイフレンドもいます」といったことを、健気なほど懸命にアピールする彼女達。

そんなアピールをいくらしたとて、「女として不幸」という視線は減るものではありません。「ちゃんと男だっていますっ」と言わずにいられない気持ちは私も理解できるので、〝ま、気の済むようにやってくれ……〟とエールを送りつつも、「そんなに頑張らなくてもいいんだよ」と、肩に手を置き、言いたくなる。

未婚女を殺すに刃物は要らぬ、

「あなたは女として幸せじゃない」

と言えばよい。

……というわけですが、それは残酷すぎるあまり、絶交覚悟でないと本人に対して面と向かって言うことはできない言葉です。私もそう言われたら、「その通りです、すいませんでした」と謝るしかないと思う。

他人《ひと》のことを「女として幸せじゃない感じー」と言う人はおそらく、他人を哀れむことによって、自分の幸福を確認しています。「私はあの人よりまだマシ」と思うことによって生きる元気を得るという構造が、そこにはある。

かく言う私も、同じ構造の上で生きています。私は、実は今でも「あの人って、女として幸せじゃない感じ」と他人を勝手に判断し、「私の方が、まだ幸せ」と思わせていただいている弱い人間。そんな私を見ることによって、誰かが「自分の方がまだマシ」と生きる糧《かて》を得られるのであれば、少しは私のような者も、世の中のお役に立っているのかもしれません。

世の中では、哀れむも哀れまれるも、持ち回り。自然界の食物連鎖みたいなものだしな……と思うと、哀れむことにも哀れまれることにも、私はどんどん鈍感になっていかざるを得ないのでした。

負け犬vs子持ち主婦

三十代になってから、

「子供がいて、本当によかったと思うの。あなたも、絶対に産んだ方がいいと思うわ！」

といったことを言われることが非常に多くなりました。

三十五歳になると、その機会はさらに頻繁《ひんぱん》となります。四十代での出産も多くなってきたとはいえ、やはり「産むなら三十代」という意識が存在する中での、忠告だと思うのですが。

この手のことを言うのはもちろん、子供を産んだ、もしくは産ませた経験を持つ人達です。育児ストレスだの幼児虐待だのといった問題も多い現代の世の中で、この人はとりあえず子育てに成功しているみたいだ、よかったよかった……と、とりあえず私は思うのです。が、同時にこうも思う。

「この人は、どうして全くテレるそぶりを見せず、自分の生き方を他人にも勧めることができるのであろうか……」

と。

この手の忠告をして下さる方々は、確実に良い人なのです。「個人の意志が尊重されるべき今、こんなことを言ってはいけないかもしれない」などという心配は全くせず、自分が「素晴らしい！」と思った子産み・子育てを、ダイレクトに他人にも勧められる人が、裏表のない良い人でなくて何でありましょう。彼等のキラキラした瞳の中に、自分が既に失ってしまった純粋さを、私は見るのです。

さらにそのキラキラした瞳を見ていると、子育てというのは宗教のようなものであるということが、理解できてきます。その「子育て教」は衰退しつつはあるけれど、ほとんど国教のようなもの。キラキラ輝く瞳の眩《まぶ》しさに目を細めながら、自らが異端であることを、私は感じざるを得ません。

子育ての宗教化は、少子化と共に進行していった現象です。

「このまま少子化が進んでいけば、日本に未来はない！」

といった論調が昂じるにつれ、子を生《な》した人達は、

「私達は正しいことをしている正しい民なのだ」

という意識を持つようになった。

少子化とは、「子を生したい」という気分が全ての日本人の中で薄まった、という現象ではありません。「子を生したい」という気分になれない人々が増加するのに比例して、「子を生したい」と思い、実行する人々の気持ちに、正義感が加わってきた、という現象でもあるのです。結果、子産み・子育ては「普通の行為」ではなく、「讃えられるべき善

行」となった。

彼等は、子ナシ教という邪教の徒である私のような者を「群れから離れた可哀相な小羊」と見做《みな》し、

「女として生まれたのに子供を産まないのはいかがなものか」

「こんなに子供は可愛いのに」

「子供を産まないと、人間としても成長できない」

と、一生懸命に教化しようとして下さる。

その真心は、とても有り難いのです。ああ、この人達は私のことを真剣に考えてくれているのだなぁ、とも思う。

が、しかし。そのあまりにも自信に満ち溢れた布教態度には、ちょっとした驚きを感じざるを得ないのもまた、事実。

私はごく普通の、つまりは特別な信仰心を持たずにお葬式とか法事の時のみお寺のお世話になる、という日本人です。ですから、熱心な信仰心を持って布教などしている人を見ると少しビックリしてしまうのですが、子育て教の伝道者達にも、同じような感覚を覚えるのです。

もちろん、子育ては本当は宗教ではありません。が、子を産むか否かは宗教と同様、個人の信念や性格に依る部分が非常に大きい問題。そして、その手の問題に他人が口を出すのはマナー違反、という不文律がある日本において、子育て教の布教がこれだけ堂々と行

なわれているということに、私は「ほぇー」となるのです。

子育て教の伝道者にも、様々なタイプが存在します。

「子供を産まないことには女性として生きている意味がないと思うし、子供を持っていない人を見るとやっぱり可哀相だなぁって思うのね」

という、今の時代に口にするにはかなりの勇気が必要と思われることをサラッと言ってのけるのは、子育て教原理派。

「あなたなんかちゃんと働いてるんだし、別に子供なんて産まなくてもぜんぜんいいんじゃないの？　本当、自立していて偉いと思うわ。……でもねぇ、子供って可愛いのよぉ。もしかしたら一回は産んでおいた方がいい……のかもね」

と、邪教徒であるこちらの立場を認めているフリをしながらも実は全く認めていないという、ザビエルみたいな人もいる。

さらには、

「結婚なんかしなくてもいいんだから、子供だけ産めばー？」

と、カジュアルな布教を装いつつも実は子産みに対する信仰心は純粋で目茶苦茶強いという、プロテスタント系の人もいます。

いずれにしても、彼等の瞳には、子育て教に対する疑いを挟む余地など、全くありません。その無垢な瞳を見ていると、私は思うのです。「この人達が言っていることって、スキンヘッドの人に対して『なんで茶髪にしないの？　顔が明るく見えるし、みんなやってることよ』って言うのと同じなんじゃないかなぁ」と。

「何を言っているのだ、ツルッパゲの人は髪がないのだから茶髪にしようもないが、あなたは健康な子宮も卵巣も持っているのだから、産もうと思えば産めるだろう」

という反論も、あることでしょう。が、子供を産むという行為は肉体のみで行なうものではない。「子供欲しい」という精神が元々欠如している人に、

「子供は産んだ方がいいわよぉ」

と言われても、やはり「とは言われましてもねぇ、そもそもハナっから無理ということがこの世にはありましてねぇ……」と心の中でつぶやくことしか、できないのです。

子育て教は、どう考えても邪教ではありません。少子化が進む今、子育て教の布教活動がなかったら、事態はますます悪化するのだとは思う。子育て教信者達の熱心な布教活動によって改心し、子供が欲しくなって産んだという人も、いることでしょう。

が、私のような者にとって布教は、決して「されて嬉しい」という類のものでもないのです。「子産み・子育ての素晴らしさはわかってるしあなた達のことは心から尊敬してるから－、お願いだから放っておいて－……」と、言いたくなる。

では、子育て教の布教活動を上手くかわすには、どうしたらいいのでしょうか。私は最近になってようやく、そのコツがわかってきました。それはすなわち、

「抗うより、受けろ」

というもの。

「悪いこと言わないから、子供だけは産んでおいた方がいいわ」

と言う人に対して、なぜ自分は子供が欲しくないのかを朗々と弁じて納得させようとしても、それは絶対に無理だし、無駄。かえって、

「可哀相に、この人は邪教の奴隷となってしまっているのね。私が何とかして正しい世界に連れていってあげなくては！」

という相手の布教意欲をかきたたせてしまうだけです。

「ウチは絶対に新聞替えませんから結構ですっ」

と新聞の勧誘を激しい口調で断ろうとすると、勧誘員さんの負けん気が刺激されるのか、野球のチケットだの洗剤だのを次々と出してきて、ますます執拗に食い下がってくるように。

反対に、

「そうですよねぇ。いいなぁ、お子さんいらっしゃって羨ましい。私も子供は大好きだし、本当は欲しいんですけどね……」

と、子育て教の教義を受け入れた後に少し哀しそうな表情を作ると、相手はそれ以上突っ込むことができなくなります。腹を見せて「キャイーン」と弱々しく鳴く犬を、仲間の犬は決して攻撃しないように。

こちらが腹を見せてしまえば、相手も「本当は子供が欲しい、と言っているからには、この人は邪教徒ではないのだ。それなのに産んでいないということは、そこには何か理由

があるのかもしれないなぁ。その辺はデリケートな問題だし、あまり突っ込むのはやめておこう」と思ってくれるはず。様々な武道においても、技をかけられた時に下手に抵抗するよりも、うまく受けて流す方が怪我は少ないと言うではありませんか。

この「相手の布教意欲を沈静化する受け身」、実は私も完璧に体得できているわけではありません。

「可愛いですよねぇ、子供。偉いなぁ、ちゃんと育ててらして」

と、相手を誉めるまでなら、できるのです。その言葉に、嘘はないから。でも、

「私も本当は子供が欲しい」

とまで言ってしまうと、それは明らかに嘘。布教されるのが面倒臭いからといって嘘をつくのも、それはそれで嫌な気持ちがするものだし……と、つい中途半端な受け身になってしまい、挙げ句の果てには、

「相当なレベルの人から、『俺の子供を産んでくれっ』と土下座して頼まれたら考えてやらぬこともない」

などと、また子育て教信者達の布教意欲を激しく燃え上がらせるようなことを口走ってしまうのです。

子供を持つ人が全て子育て教の伝道師かというと、もちろんそうではありません。子育てをしつつも、「子育て教の信者だと思われるのは絶対に嫌だ」という強い信念を持つ人も、中にはいるのです。

その手の人は、私のような子ナシ女の前では、子育て関連の話は一切しません。それはそれで不自然のような気もするのだけれど、それも全て、子ナシ女に気を遣って下さるが故のこと。

「余計な気苦労をおかけして、申し訳ありませんねぇ……」

と、私は思う。

そんな私に今できる罪滅ぼしは、せめて子ナシ教という邪教の布教をしないことくらい。こんな文章を書くこと自体が、十分に邪教の布教だろう、という気もしないではありませんが、日本を愛する私としては、実は子育て教の繁栄を、望んでいなくもないのです。……ま、ただし私に布教さえしないでくれれば、の話なのですが。

負け犬と外見

負け犬——すなわち結婚も出産もしていない、主に三十歳以上の女性達——というのは、非常に若く見えます。昔風に言えば、ハイミスとか老嬢と言われる年齢であるわけですが、現代の老嬢達は、服装も肌つやも、妙に若々しい。同じ年ごろで結婚・出産をしている勝ち犬達と比べると、負け犬の方が若く見えるのです。

原因は、明らかでしょう。三十代半ばというお年頃の勝ち犬達は、子育て真っ盛りの時期。自分のことになどかまけていられないので、この時期容貌がガクッと衰えることがまあります。自分のことだけ考えていればいい負け犬とは、大きな違いといえましょう。

負け犬も、もちろん忙しいのです。三十代ともなれば、働き盛りのお年頃。職場においては、目を血走らせて仕事をしています。が、それは子育ての忙しさとは、質が異なるのです。負け犬は、たとえ深夜になろうと、帰宅をすれば自分の時間。アロマオイルをたらしたお風呂に浸かってみたり、ＳＫ-IIのパックをしたりと、自分に手をかけられる。休暇をとれば、「きれいになる旅」などと称して、豪華エステに二日に一回通うという海外旅行も、できる。

勝ち犬には、このような余裕がありません。第一子と右手をつなぎ、第二子と左手をつないでスーパーに買い物に行くのでは、いくら日差しが強くとも日傘はさせない。子供を連れてハワイに行っても、なかなかホットストーンマッサージは受けられない。

負け犬と勝ち犬とでは、社会の視線にさらされる量も、異なります。自分で稼がねば食べていけない負け犬は、当然社会で働いているわけですが、その時に多くの視線と情報とを、得ている。その結果、同年齢の勝ち犬と比べた時、より現代風かつ若々しい外見を持つことになるのです。

「まだ私は、市場に出回っている商品なのだ」という意識が存在することも、負け犬が勝ち犬よりも若く見えることに関係しているでしょう。今は、既婚者であっても、

「いつまでも恋をしていたいの」

などと言う人も多いわけですが、それでも勝ち犬は、既に売場の棚には並んでいない身の上。そこには、負け犬のような「常に臨戦態勢であらねば」という切実さは、無い。

対して負け犬は、たとえ、

「もう誰もあなたのことは買いませんって」

と言いたくなるような人であっても、心根の部分では、まだまだ売場に並んでいる、つもりでいる。そんな根本的意識の違いが、負け犬の容姿を、ギリギリの線で踏み止《とど》まらせるのです。

が、「いつまでも売場に並んだままでいる」ということに対するストレスも、負け犬は

抱えています。負け犬同士でたまに話すのは、

「既に頭には白髪などが生え始めているのに、この期《ご》におよんでまだ恋愛沙汰でやきもきし、付き合うだの別れるだのと高校時代と同じことをしている自分を見ていると、これが生物として正しい動きだとはとても思えない」

とか、

「なんかもう、いつまでも若々しくいるのとかって、面倒臭い。思いっきり老けて、ラクになりたい」

といったこと。

負け犬は、確かにパッと見は、若いのです。何が流行りかといったこともよく知っているので、服装や髪型も、時代からとり残されてはいない。

しかし生物としての肉体は、正直です。いくら全体の雰囲気は若々しくとも、肉体は正確に時を刻んでおり、パーツパーツを見れば、はっきりと老化現象があらわれている。その代表的なものが、白髪やシワでしょう。

当然私にも、白髪は存在します。三面鏡を駆使しながら、脳天近くに白髪を発見し、それを根元から切ってみたりするのは、「ウォーリーをさがせ!」のようで少し楽しくもある作業です。が、黒い髪が途中から白く変わっているものを発見し、それをしげしげと眺めていると、〝三十五年間、黒い髪を作り続けていた一本の毛の毛根のエネルギーが、ついにここで尽き果てたのか……〟と、老化のリアリティー、のようなものを感じざるを得

ません。

さらに恐ろしいのは、同世代の負け犬仲間の肉体の上に、老化現象を発見した時でしょう。

「この前、○○さんとデートしてた時にさぁ……」

と、「自分は負け犬ではあるが、決して男に不自由しているわけではない」ということをアピールするための逸話を滔々《とうとう》と語っている負け犬仲間の頭髪部分に目をやったら、白いものがキラリと光った、とか。

「キンキ・キッズのコンサート行っちゃったー、やっぱツヨシ可愛い」

などと満面の笑みを湛《たた》えて言う人の目尻のシワが、笑みが消えても残り続けているのを見た、とか。

そんな時に私は、何か深ーい闇を覗いてしまったような気分になります。白髪もシワも、別に恥じるようなものではないことは、知っている。しかし白髪やシワと、「デート」や「キンキ」といった単語は、どうも相性が悪く、そこにはすさまじさすら漂ってくる。

とはいえ最近は、白髪やシワ程度のことはあまりに当たり前で、驚かなくもなってきました。なぜならもう一歩進んだ老化現象が、同世代の肉体を襲っているから。

とってもおしゃれな負け犬としゃべっていたら、胃を悪くしたのか息が臭かったり。高校時代にモテまくっていた負け犬の顔に、ソバカスではなく、明らかなシミが出現していたり。露出度の高い服装を好み、

「その歳でそんな服が似合う人、あんまりいないわぁ」
と言われることを生き甲斐としている負け犬の、顔ではなく首や鎖骨近辺にシワがよっていたり。そんなシーンを目撃する度に、〝ってことは私も……〟と、恐怖心は募《つの》るのです。

負け犬達も、自らの老化に対する自覚は、十分に持っているはずです。私も、〝既に白髪があるような人間が、スヌーピーのTシャツなど着てもよいものだろうか。短パンなんかもはくわけだが、もしかして世間の人々は「いい歳して、それは変ですよ」と言いたくても言えないという状態なのではないか〟と、一応は悩む。

三十代半ばの負け犬というのは、服飾品を選ぶのが非常に難しい立場なのです。着ようと思えば、ナイスクラップであろうとドゥファミリーであろうと、はたまた渋谷は109に入っているコギャル系ブティックの服であろうと着ることはできるし、実際に私は着ている。

その手の若者向け、というよりはほとんどティーン向けのブランドというのは安いので、経済力を持っている負け犬は、欲しいものがあればぜーんぶ、買うことができるのです。高校時代は夢のようだった、

「じゃあこれ、色違いで全部！」

といった買い方で若者の領域を荒らすのは、なかなか楽しい。

が、「それでいいのか」という話もあるわけです。確かにナイスクラップの服を着れば、

若くは見えるかもしれない。が、すごいおばさんがミニスカートをはいている時に感じるような、

「嗚呼、あの人は自分の外見に対する客観性を、既に失ってしまったのだなぁ」

という痛ーい感じ、あの感じを自分でも撒き散らしているのではないかという不安が、芽生えてくる。

負け犬が安いカジュアル衣料を着るには、細心の注意が必要なのです。首のところが少しヨレッとしたTシャツも、肌にハリのある若者が着れば何の問題もなく許されますが、三十代負け犬だと、Tシャツのヨレ感と肌のヨレ感が呼応し合い、非常に貧乏臭い印象を与えてしまう。

では高い服を着ればいいのかといえば、そうとも言えません。もちろん、大人向けのブランドを買っても何もおかしくはないお年頃ではあるのです。が、この年頃の難しさというのは、少し大人っぽい格好をすると、一気に老けて見える危険性があるということ。

仕立ての良いスーツや、石の玉がついた指輪が素敵であることは確かだけれど、「負け犬」という存在に下手に「高級感」を付け加えるのは、危険なプレイ。高級な服を着た負け犬は、確かに仕事ができる大人の女には見えるかもしれないけれど、仕事ができて高い服を着ている大人の女、のことが大好きだという男性は、日本という国にはあまり存在しないのですから。

〝市場に出回っている売り物である〟ということを示すために、日本の負け犬は、とこと

ん練りあげられた外見戦略をとらなくてはなりません。すなわち、決して無理して若ぶってる印象は与えないけれど若々しくは見え、男性に「俺より年収が高いんじゃねぇかコイツ」とか「とって喰われるのではないか」とは思われないような、つまり微量の「幼さ」「愛らしさ」というエッセンスも加えながらも卒塔婆小町《そとばこまち》には絶対にならないような……という、実に微妙なバランスの上に成り立つ服飾品や化粧法を選ばなくてはならないのです。

そんなことを考えていると、既に「老ける」ということを受け入れ済の人達のことが、とても羨ましく感じられるのでした。売り物として市場に出回ることをとっくに引退したマダム達は、独特なマダムファッションの世界を展開しています。そこでは、「モード」とか「異性にとって魅力的」といった要素は、あまり問題にならない。「ラク」「健康に良い」とか「ゴージャス」といった価値観によって支配されている世界なのです。

下半身を締め付ける細身のパンツや、つま先の尖《とが》った靴を我慢してはき続ける負け犬からすれば、思いっきり老けられるマダミーな世界は、夢の楽園。いつまでも若々しく見せることに疲れた負け犬達は、だからこそ、

「思いっきり老けてみたい」

といった発言をするのです。

今の世の中、シロガネーゼとかアシヤレーヌとかがいて、勝ち犬の世界においても熾烈《しれつ》な外見競争が繰り広げられています。が、〝勝ち犬になれば、ちょっとはラクになるのか

も〟と夢見る負け犬。「より良い外見」に対する果てなき妄執は、負け犬であろうと勝ち犬であろうと、死ぬまで残り続けるのでしょう。

負け犬の先達

私が会社員をやっていた頃。会社には、結婚も出産もしていない三十代・四十代女性がたくさんいました。それぞれが優しく良い人であり、私は彼女達から様々なことを教わり、また可愛がってもらった。

二十代の前半であった私は、しかしそんな彼女達を見ていて思いました。〝なんでこの人達って、結婚しないのだろう？　結婚しなくても平気なのだろうか？〟と。

さらには、どう目をこらしても男の影が見えず、休みの度に女同士で旅行をしているらしいその手の先輩達を見て、激しく思ったのです。

〝ああはなりたくない……〟

と。

当時の私は、結婚願望などまるで持っていませんでした。結婚という行為は、どこか遠くの国に住む「大人」という人達がするもので、自分には関係の無い話、と思っていたのです。

けれど、結婚をしていない先輩女性の姿は、子供心にも何となく奇異に感じられました。〝あの人達は、大人なのにどうして結婚していないの？〟と。

それから十余年。会社を辞めたり一人暮らしを始めたり、異性と付き合ったり別れたり付き合ったり別れたりしつつ、私は生きて参りました。三十五歳となり、ハッと我が身を見てみた私は、気付いたのです。二十代前半時代に「ああはなりたくない……」と思っていた姿に、自分自身がものの見事になっている、ということに。

かつて、「ああはなりたくない」と思っていた姿に、自分がなる。……という事実に、〝そうきたか！〟というちょっとした驚きを感じたのは確かですが、意外だったのは、それがさほど嫌ではなかったこと。同類の友人同士でも、

「若い頃は、三十代の独身女を見て、よく平気で生きていられるなぁとか、ああはなりたくないって思ってたけど……」

「なってるよねー、今」

「全然平気で生きてられるねー」

と、話をするのです。

二十代前半の私は、〝三十代・四十代になって独り身だなんて、可哀相だなぁ。哀れみの視線にさらされる毎日は、さぞやつらかろう〟と思っていました。が、いざ自分が「可哀相な人」になってみると、実はその状態は、別につらくなかった。

二十二歳の私が、ある日突然「三十五歳で独身」という立場になったら、〝ゲッ〟と思ったかもしれません。が、「三十五歳で独身」という状態は、急にやってくるものではな

い。二十二歳だった私が独身のまま、一年また一年と歳をとった結果、三十五歳で独身の女となったのです。してその感想は、〝別に、普通じゃん——〟というもの。

もちろん、かつて自分が放っていたのと同じ、「ああはなりたくない」という視線を、年下の人々からは感じます。が、いざ受けてみたらその視線は、痛いとか痒《かゆ》いといった実害をもたらすものではないので、苦痛ではない。

三十五歳の独身の女の気分は、二十二歳の時に予想したように、荒《すさ》みきってはいなかったのでした。十余年前の先輩女性達も、哀れみの視線をなげかけてくる後輩達を、今の私と同じように意外とボーッと眺めていたのだろうなぁ……と思うのです。

私は今でも、自分より年上の未婚女からイヤ汁（未婚のまま生腐りしていきそうな女性達からしたたり落ちるかに見える、イヤーな汁の意）のにおいを察知すると、「ああはなりたくない」と思うのです。が、私が今「ああはなりたくない」と思う対象の人々も、実はそれぞれ、楽しい生活を送っているのであろう。そして〝勝手に哀れまないでくれ〟と思っているのであろう。……ということだけは、理解できるようになった。

考えてみると、二十二歳の私も三十五歳の私も、「ああはなりたくない」という対象はあっても、「ああなりたい」という対象は、持っていないのでした。イヤ汁をたれ流す女性にもなりたくないが、だからといって主婦に憧れを抱くわけではない。そんな私は、一体どんな女性の姿を目標にすればいいのか……？

今の世において女性から好かれるのは、とても難しいことです。仕事ができて知性もあるけれど外見も悪くはなく、不幸のかおりを漂わせないようにしなくては、今時の女性の人気を得ることはできない。

その手の女性の代表例として緒方貞子が崇《あが》められていることは、前項でも書きました。同じように、故・白洲正子や、オノ・ヨーコも崇拝の対象となっている。社会的地位のある夫を得て子供も産んでいるのにその立場に甘んじることなく、確固たる自らの世界をも築きあげた人として、彼女達は尊敬を集めています。

しかし私は、その手の人達に憧れを抱く人には「目を醒ませ」と言いたくなるのです。彼女達はそれぞれ、親族が日本史の教科書に出てくるような、由緒正しいお嬢様。もちろん個人の才能や努力もあったにせよ、その恵まれたバックグラウンドがあるからこその活躍なのです。安サラリーマンの娘が白洲正子になれると思ったら、大きな間違い。実際に「なりたい」と思うのであれば、料理研究家くらいにしておいた方が、いいと思う。

目を転じて、独身女性にとって憧れの女性とは、どんな人達なのでしょうか。そこには、一人のカリスマが存在します。独身女性にとっての永遠の大スター、それは市川房枝でも土井たか子でもありません。彼女の名は、向田邦子。

仕事で活躍するのはもちろんのこと、美人でおしゃれで料理も上手だった向田邦子。彼女はとある男性と長いあいだ不倫関係にあったことが、今では発表されています。不倫によって婚期を逸する（逸するとか逸しないという問題ではない、とご本人は思っていたとは思いますが）とは、まさに高齢未婚女性の典型パターンであり、現在でも多くの同類の共感を呼んでいます。

彼女は、飛行機事故によって独身のまま、五十代で命を閉じました。まるで桜花のようなその散り方がまた、不世出のカリスマ独身女、という感を高めた。

今、向田邦子に続く憧れの独身女スターは、存在しません。が、「憧れの独身女」には二種類あるのです。一つが向田邦子的、つまりは「美しくて女っぽくて、異性のにおいはしつつも結婚しない」という、いい女系の独身女。もう一方は、「あまりにも一芸に秀でるあまり、異性がつけ入る隙が無い」という孤高の人系の独身女。

私は、後者の独身女パターンというのも、割と好きなのです。してその代表例が、やはり故人ではありますが、長谷川町子なのだと思う。

長谷川町子は「サザエさん」のような楽しいマンガを描きつつも、私生活においては、実にストイックでピュアな人であったと言われています。考えすぎて胃を壊しながらも、ひたすら一芸に精進するその潔い姿勢は、真似はできないものの、非常に格好よく感じられるのです。

長谷川系統の女性として私が惹かれるのは、他にはたとえば女優の藤山直美。彼女の舞台を観てゲラゲラ笑った後はいつも、〝ああこの人は、全てを賭けて芝居をしているのだろうなぁ〟ということが理解できる。イヤ汁とは、中途半端な未練が腐って発生するものなのかもしれないとも思うのです。

犯罪の歴史の中にも、向田系と長谷川系、二種類の女性の姿を見ることができます。向田系犯罪者で有名なのは、一九九三年に起きた、不倫相手の家に放火して子供を殺してしまった事件の、元ＯＬ。あの事件が起きた後は、「私もその気持ちはよくわかる」と、同世代の女性から嘆願書も寄せられたといいます。

対して長谷川系の中で有名なのが、こちらは被害者の立場ですが、「東電ＯＬ」でしょう。彼女に共感する人もまた多く、東電ＯＬ症候群という言葉もできた。「東電ＯＬは私だ」と、犯行現場に花を手向ける人もいるといいます。彼女もまた、一種の〝突き抜けた〟人なのだと思う。

女性政治家もまた、二種類に分けることができそうです。私見ではありますが、自民党は向田系、社民党が長谷川系なのではないでしょうか。

高市早苗など自民党の独身議員が、女性としての湿り気を感じさせるのに対して、社民党女性議員は一向に感じさせません。前出のおたかさんに始まり、辻元清美に田嶋陽子（両者共、議員を辞めてしまったが……）と、社民党の独身女性議員達は皆、実際の男関係はどうあれ、赤城山から吹きおろすからっ風のような存在感。連綿と続く、社民党の独身女性議員の独特の系譜を、いつまでも失わずにいてほしいものだと思います。

……こうしてみると、向田・長谷川両巨頭亡き後にも、独身女達はそれぞれに活躍しているのでした。国立社会保障・人口問題研究所が出した最新の将来人口推計では、二〇五〇年における生涯未婚率は、なんと一七パーセント近く。増え続ける独身女のためにも、スター達にしっかり道をつけておいていただきたいものだ、と思うのです。

負け犬と老後

平成十四年に、ナンシー関さんが亡くなりました。一応は同業者。女三十代、独身、子ナシというカテゴリーも同じ。……ということで、私は訃報に接した時、まずは非常にショックを受けた。同カテゴリーに属する友人・知人の間でも、

「もっと読みたかったのに」

「私達も身体は大切にせにゃあ」

といったメイルが飛びかいました。

が、ショックを受けた次の瞬間に、私は思ったのです。

「ああ、何だか格好いい」

そして、

「ちょっと羨ましい」

と。

負け犬仲間と、私はたまに話します。

「なんかさー、明日死んじゃっても、別にいいやって思う」

「実は私も、そう」

「まだセックスしたことがなかった時は、『一度でいいからセックスというものをしてから死にたい』と思ったけど、現世の楽しみも享受した今、別にやり残したことって無いし」

「これから世の中が良くなっていくって感じもしないし、いつ死のうと、悔いは残らないわねぇ」

「急に死んじゃった場合、部屋にある数冊のエロ本を誰かに見られるのが恥ずかしいけど、こっちはもう死んじゃってるわけだし、まあいいか」

……などと。

が、そんなことを言っている私のような者に限って、急死などしないのです。だからこそ私は、四十代になることなく、さっさとこの世を去っていったナンシー関さんに、格好よさと羨ましさを感じる。

同じ年代でも子を持つ人であれば、絶対に私のようには考えないことでしょう。可愛い盛りのこの子を残して死ぬことなどできない。この子には私が必要なのだ。この子の未来の為にも、世の中も良くなっていって欲しい……。そう思うに違いない。

負け犬には、庇護してやるべき存在など、ありません。自分が先に死んだら親は悲しむだろうから、親の為にはなるべく死なないようにしなければならないとは思うものの、それは「この子を残して死ねない」という熱い気持ちの足元にも及ぶまい。

仕事にしても、どうしてもやらねばならぬものでは、ありません。私のような者はよく、

「自分が書いた本が、酒井さんにとっては子供みたいなものなのでしょうね」

といったことを言われるのですが、どう考えても本は本、子は子。親は子の為ならたとえ火の中でも飛び込んでいくと言いますが、私は自分の本が火中に投じられたとしても、それを拾いに行こうとは思わない。第一、本は私が老いてもシモの世話などしてくれないだろうし。

ということで、私が今死んだとしたら、「ああ、もう少し書きたいこともあったのになぁ」とは思うだろうけれど、それは「この子を残して死ねない」とは別次元の感情なのです。

私のような負け犬の女性というのは、病気になるリスクも実際に高いそうです。まず、負け犬派は仕事が好きですから、過労死的な危険がある。さらには婦人病の魔の手も、負け犬には襲いかかる。

何でも子供を産むことによって回避できる婦人病というのは色々とあるらしく、負け犬に婦人科系の問題が発見されると、

「一番いい治療は、子供を産むことなんですけどねー」

などと、医者から言われるのです。

そして負け犬は、過労や婦人科系の病気で、時々本当に死んでしまいます。人々はその

死を見て、

「壮絶な戦死であった」

などと評するわけですが、言外には「結婚もせず子も産まず、少し仕事はできたかもしれないけれど女の本当の幸せを知らずに逝ってしまって可哀相。さぞや悔いが残っただろう」みたいな哀れみが、確実に匂っている。

平成十五年には、長島茂雄氏に常に密着取材をしていることで有名な、岩田暁美さんというスポーツ記者が四十一歳で亡くなりました。スポーツ紙では大々的にとりあげられ、長島茂雄氏は「働きすぎを心配していたのですが……」と、また男性のスポーツ記者仲間は「戦友でした」などと追悼のコメントを寄せていたのですが、中でも広岡達朗氏のコメントは、「負け犬が死ぬと世間ではこう思われる」という典型であったかと思われます。すなわちそれは、

「(岩田さんは)社会人としてはいい仕事をしたが、女性としてはどうだったのか？ 結婚もまだだったと聞いている。子供を産む幸せも知ってもらいたかったし、両親にとってはとんだ『親不孝娘』だと思う。とにかく残念だ(東京スポーツより)」

というもの。出たっ、「女としての幸せ」。最後の「とにかく残念だ」が霞むほどの、負け犬にムチ打つ発言ではありませんか。

「でも結婚してないことも、病気になったことも、わざとじゃないんだし、しょうがないじゃないすか……」

と、私は岩田さんになり代わってつぶやいた。

が、やはり私は思うのです。好きな仕事を好きなようにやって、老醜もさらさず、独居老人腐乱死体にもならず、ポックリ逝く。それって、さほど悪くないことなのではないか……、と。

自分のことを考えてみると、我が家は明らかに、長生きの家系です。父方の祖母は九十九歳まで生き、母方の祖母は九十二歳で健在。さらに私は、長生きがしたいという理由があるわけでもないのに、たまたま飲酒も喫煙もしない。

そこには若死にする予感というものが、一切漂いません。今までの人生が特にドラマティックであったわけでもない。天才でもない。ちっとも生き急いでもいない。つまりは「壮絶な戦死」を、ものすごくしなさそうなタイプ。

となると私は、負け犬のまま老人になる可能性を、弥《いや》が上にも考えることとなります。結婚出産推進派の人々からよく言われるのは、

「今は楽しいかもしれないけど、一人でいたら老後はつらいわよぅ」

ということ。

確かにそれはそうでしょう。子や孫に囲まれた老後を迎えた時、「ああ、苦労して子育てをした甲斐があった」と、勝ち犬達は思うに違いない。

が、負け犬派の人々は、三十代前半から老後のことを考えています。一人でいて退屈しない方法を若い時から開発し、一人メシや一人旅の楽しみ方も心得ている。

老後のリスクは、むしろ勝ち犬派の方が高いのだと思うのです。彼等は老後、良い目が出れば子や孫から手厚く面倒を見てもらうことができるわけです。が、悪い目が出ると子や孫から迷惑がられ、邪険にされ、一人でいるよりずっと深い孤独感を味わうことになる。

実際、日本で最も自殺率の高い県として有名な秋田県のとある地方における老人性うつ病対策、というものをテレビで見ていたところ、重症のうつを抱える老人のほとんどは、家族と同居していたという結果が出ていました。つまり独居老人は自分でも孤独対策を練っているし周囲の人も気を遣ってくれる面があるけれど、家族と同居の老人は孤独に慣れていない上に「家族に迷惑をかけているのでは」という気苦労も多い。周囲の人も「家族と一緒なら大丈夫」という目で見るため、孤独感を募らせ易いのです。

さらに私は、老後の先、つまり老いてからの死についても考えます。まず思い浮かぶのは、もちろん「独居老人腐乱死体」。そうなる可能性は非常に高いわけですが、独居老人腐乱死体になるような死に方というのは、長患いによるものではなく、ポックリ系なのではないか。ある意味幸せな死に方と言えなくもないわけで、「腐乱も辞さず」の覚悟は、やはり決めておかなくてはなるまい。

これは負け犬派に限ったことでなく、高齢化がますます進む日本において、ポックリ系の死に方は憧れの的です。日本には昔から「ポックリ寺」という場所に行ってポックリ死を願うという習慣があったようですが、これからポックリ死の需要がますます高まる中、神頼みだけでいいのか、という気はしないでもありません。

死んだ後のことについても、考えてみましょう。自分の子がいないということは、死んだ後に墓を守ってくれる人がいない、ということになります。

私には結婚している兄がいますが、兄にも私にも子供はいない。となると、酒井家の墓を守る人もいない。私の親は既に酒井家が断絶することは覚悟しており、私は既に、

「うちの墓もいずれなくなるわけだから、私が死んだら散骨してくれ。場所はハワイでもロスでも、あなたの行きたい場所でいいから」

と言い渡されております。安心して墓にも入れない親に対して申し訳ないという気持ちは持ちつつも、

「わかった。じゃあ私、ハワイがいい」

と答えてしまう私。しかしその頃になったら、ハワイに骨を撒く日本人がたくさんいるのだろうなぁ。ハワイの人も、結婚式をやりまくったかと思えば今度は骨を撒きにくる日本人を見て、「冠婚葬祭くらい自分の国でできんのか」と思うに違いありません。

親の骨は撒けばいいとしても、では自分が死んだら、どうなるのでしょうか。私は、家族の中でも最も長生きしてしまいそうな気がするのですが、最後に死ぬ私の骨はどうなるのか。

……と考えると、心の底から「そんなものはどうなったっていい」という気分になるのです。骨壺を墓に入れてもらい、子孫が代々線香をあげに来なくとも、そしてハワイの海

に撒かれなくとも、別に化けては出まい。骨など、どこかの埋め立てにでも使っていただければ、くらいの気分。

明日死んでもいい。

腐乱してもいい。

骨がどうなろうと気にならない。

……そんな考えを持つ人が、働き盛りの年代に、少なくないボリュームで存在している、今。それは日本にとって、決して喜ばしい状態ではないでしょう。

何が何でも家を絶やさず、未来永劫墓を守り続けたいという日本人の執念は、かつてはくだらないもののように私には思えたものです。が、石にかじりついても何か一つのものを継続させるというその執念こそが、日本をここまでの経済大国にした原動力だったのかもしれない。そう考えると、

「散骨でいいんですー」

と言う今の中高年、そして、

「腐ってもしょうがないですー」

という私達のような者は、まさに日本の衰退を象徴するような存在と言えるのではないでしょうか。

死んでも「夭折」と言われる時期は通り過ぎ、身体は頑健、家系は長寿。となると、とりあえず死ぬまで生きてやる、という覚悟をするしかない、今の私。老醜をさらしまくり

ながらも「死なないのだからしょうがないではないかッ」と開き直る、始末に負えない強さ。その強さを世の中に提示することが、負け犬としてできる最後のお務めなのかもしれないなぁと、今はぼんやり思っているのです、が。

負け犬と友情

負け犬にとって、何よりも大切なもの。それは、友情であると私は思います。「あたしって一人ぼっち」という孤独感と「あたしって駄目人間」という無能感とに襲われて身動きがとれなくなった深夜、電話で励ましてくれるのは負け犬仲間。異性とは誕生日を一緒に過ごさないであろうという予感が濃厚な時、

「一緒に祝おう」

と申し出てくれるのも、負け犬仲間。

そういえばとある夜、少し大きめの地震が起こった時に、すぐさま電話をかけてきてくれたのは、負け犬友達でした。〝このまま揺れが大きくなって私が一人でここで死んじゃっていても、別にだーれも悲しまないだろうしな〟と思いつつ、恐いとも何とも思わず揺れに身を任せていた私は、

「大丈夫だった？」

という友の声に、胸を熱くした。負け犬にとって立場を同じくする友人の存在は、まさに命綱と言ってもいいものなのです。

立場を同じくしない者との友情も、もちろん成立はするのです。数少ない勝ち犬友達と、子供の成長についてなどたまに話すと、

「ああ、やっぱりまっとうな人は良いなぁ。世間様からまともだって認められている生活をしている人とたまに話すと、心が洗われるようだ」

と思う。

男の友達も、いないわけではありません。負け犬海外文学において、負け犬に不可欠なのはゲイの友達です。男性同伴が必須のパーティーに行く時や力仕事をする人が必要な時、彼女達はゲイの友達をひっぱり出してくる。また彼等は女性以上に繊細で女性の気持ちをよくわかってくれる上にお洒落ですから、一緒に買物に行くのもおしゃべりするのも、楽しそうなのです。

欧米ほどカミングアウトが進んでいない日本においては、負け犬とゲイの交流はまださほど盛んではありません。そこでゲイ友達の代わりとなるのが、「絶対に恋愛する可能性が見いだせない男の幼なじみ」みたいな人。私にも、司法試験合格を目指して浪人中という同世代の男友達がいます。なにせ浪人なので、平日だろうと深夜だろうと電話に出てくれ、グチなど聞いてもらいたい時にとても便利。深夜に電話で話していると、性は違えど、人生のケモノ道に迷い込んでしまった者同士の連帯感を感じるのです。

友情は、まだ負け犬になっていなかった時期においても、大切なものではありました。が、今思うと若い時代の友情は、近くに住んでいるとか、同じ学校や職場に通っていると

か、席が近いといった偶然がもたらしたもの、という面が強かった。

三十代以降に育む友情には、その手の偶然はあまり関与してきません。負け犬としての共通言語を持っていれば、確実に話は通じ合うのです。

反対に、学生時代はとても親しかった人でも、彼方勝ち犬、此方負け犬だったりすると、縁遠くなってしまうこともしばしばです。

「若い頃は毎日学校で会って、何でも打ち明けていたのに……」

と寂しい気持ちにはなるのですが、そうなるのは自明のことだった、と言うこともできましょう。

つまり学校というのは、そもそも別々の出自や個性を持った人が、偶然に同じ場所に集められた場所。

「同じ学校に通っていた友人達が、こんなにも違う道を歩むなんて悲しい」

とセンチメンタルになってみても、言ってみれば学校という場所に、雑多な人々が集まって同じ行動をしていた時代の方がずっと不自然だった。負け犬は負け犬、勝ち犬は勝ち犬というグルーピングがされている現状の方が、学生時代よりも友情形態としてはずっと必然的、なのかもしれません。

学生時代を振り返ってみると、同じ仲良しグループに属している人でも、現在勝ち犬派の最右翼になっているような人に対しては、その頃から〝全く相容れない感じ〟を覚えていたのでした。当時は、単に気が合わないのであろうくらいにしか感じていなかったのですが、今となってはその相容れなさこそが、負け犬と勝ち犬を分ける要因であったことがわかる。

勝ち犬と負け犬が分裂してしまうのは、仕方の無いことです。人間というのは誰であっても、立場を同じくしている人と友情を育み易いもの。勝ち犬は勝ち犬同士、アカチャンホンポの話やお受験の話や日曜に子供のサッカーの試合に付き添うのが楽しい、という話をしたいわけだし、負け犬は負け犬同士、ハワイのホテルの話や孤独に過ごすであろう老後の話や当たると評判の占い師についての話をしたいのですから。

勝ち犬と負け犬の関係は全く断絶してしまうわけではなく、時には両者間の異文化交流も行なわれるのです。しかし昔の同級生、でも今は負け犬と勝ち犬という異なる立場になってしまった両者の関係は、まるで「鬼界ヶ島」において、流された島に一人残らなければならない俊寛と、罪が許され船で都に帰ることができる従者のようで、どうにも重苦しい空気が漂う。……おっと、古典芸能に詳しい負け犬っぷりの一端を、思わず見せてしまったようですね、失礼失礼。

負け犬・勝ち犬間に走る深い亀裂は、日本社会にとっても大きな問題であると私は思います。昔は負け犬といえば「可哀相な人達」ということで社会から哀れまれる存在であったわけですが、今や負け犬勢力が拡大し、勝ち犬党と負け犬党という二大政党時代に突入した。

負け犬党員達は、与党である勝ち犬党員達に、嫉妬混じりの反発姿勢を持ちがちです。

少子化が大問題となっている今、負け犬党員達も意地を張らずに勝ち犬党に鞍替えすればいいのに、

「負け犬には負け犬の幸せがある！」

などと、自党内だけで気炎をあげる。

与党勝ち犬党の人達も、自分達の立場が磐石《ばんじゃく》だと思っているわけではありません。自由に活動する負け犬を見て、〝与党だからって私、このままでいいのか〟という気持ちを持つのだけれど〝そんなことを言っては負けだ！〟と思っているから、与党の正当性をあくまで主張。「負け犬には負け犬の幸せがある」と主張する負け犬党員を見て、

「負け犬根性って、ああいうことを言うのよねぇ」

と鼻で笑い、さらに負け犬党員達はその様子を見て、また意地を張る。両党間の確執が納まらない限り、少子化問題が解決することも、ないのでしょう。

同じ立場にある人と仲良くなるのが人というもの、ということは先程も書きましたが、さらに言えば、その立場が苦境に近ければ近いほど、友情は深くなる傾向があります。してみると負け犬の友情、深くあって然るべし。負け犬であるという共通項があれば、初対面であっても、職業や住む場所が違っても、心のどこかで〝この人は、仲間だ〟と思うことができるのです。『ブリジット・ジョーンズの日記』などの負け犬文学が世の東西を越えて人気を博すのも、それが全世界共通の負け犬言語で記されているからでしょう。

負け犬というのは、何といっても「負けた」犬です。野党第一党の立場は得たものの

（とはいえ他に野党なんて無いのだが）、その立場は社会の中ではあくまで少数派であり、「嫁き遅れ」「嫁かず後家」とか「出戻り」などと、世間の人々からすればいくらでも陰口の叩きようがある被差別者なのです。

負け犬の友情に、ある種甘美な空気が漂うのは、そのせいなのだと私は思います。

「私達って可哀相」

「普通に生きてきただけなのに」

「結局、私達って純粋だから負け犬になっちゃったのよ」

と、互いの立場を認め合い、傷を舐め合う時、そこにはほとんど生理的とも言いたくなるほどの快感が伴う。夜八時半から（それくらいの時間でないと、働き盛りの負け犬は集まれないのです）のディナーの席で、負け犬仲間達と「我々はなぜ負け犬となりし乎」について、実に論理的かつウィットに溢れた激論を戦わせていると、〝ふむ……、こんな人生も悪くない、かもしれない〟と、一瞬ではあるものの思ったりするのです。

負け犬の友情も一枚岩とは言えないのではないの？　という話も、ありましょう。負け犬党がいくら結束していても、党員はそれぞれ、心のどこかで「この党にいたら、政権の座につくことは一生、できない。隙あらばここから抜け出して、与党に入ってやる」と、虎視《こし》眈々《たんたん》としているのではないか。仲間の誰かが結婚したり子を産んだりすれば、負け犬の友情は崩壊するだろう……。というお話もありましょう。確かにそれは、その通り。

「すごく気が合う友達がいたんだけど、その子が結婚しちゃってからは一緒に遊ぶ人がなかなかいなくて、寂しい……」

と言う負け犬の姿も、よく見かけるものです。負け犬と勝ち犬とでは、お金や時間の遣い方が全く異なるのであり、行動を共にできないのは仕方のないこと。勝ち犬が負け犬との友情を継続させるには、家族の理解と自由に遣えるお小遣い、及び負け犬を傷つけない為の気遣いが必要なのです。

では負け犬党の内部で、

「抜け駆けは許さない！」

とか、

「絶対に私の方が先に結婚してやる！」

といったつばぜり合いが激しく行なわれているのかといえば、そうではありません。

三十代の前半まではまだ、負け犬仲間が一人また一人と足抜けしたという話を聞いては、焦燥感と悔しさとを腹の中でたぎらせたかもしれません。親友が結婚したりすると、「裏切られた！」とすら思ったこともあったでしょう。

しかし三十代後半になると、そんなセコい焦りは抱かなくなるのです。仲間が減るのは確かに寂しいし、心細い。けれどそこまで負け犬の道を共に歩み、励まし合ってきた者からすると、友が勝ち犬の世界へと旅立つことは、心底喜ばしいのです。

「本当に目出度い！　幸せになってね！」

と、もしかしたら肉親以上の気持ちで祝福することができる。ま、「三十代後半の負け犬が結婚する」という事態など、そうそう起こることでもないのですけれど。

女性雑誌を読んでいると、

「私はなかなか恋人ができないで困っているのですが」

といった相談に対して、

「同じような立場の人とばかりツルんでいてはいけません」

と、まるで〝未婚菌〟は伝染性であるかのように記してあることがあります。その理論で言うと、負け犬同士の友情を深めるなど愚の骨頂、ということになる。

確かに負け犬同士が、

「なんであなたはそんなにきれいなのに結婚できないのかしらねぇ」

「私が男だったらあなたと付き合いたいくらいなのに」

などと言い合っても、そこから何かが発展することはありません。

「お互い、相手に誰かを紹介し合いましょうよ！」

と言い合ってみても、手持ちのコマは、とても友人には紹介できないような容姿や経済力や性格の男性ばかり。負け犬同士の食事風景を端から見ていると、各種のイヤ汁がブレンドされて煮詰められ、イヤーな相乗効果によってますます彼女達が縁遠くなっていくようにすら見えるのです。

でもやはり、と私は言いたい。負け犬にとって友情は、不可欠なものなのです。たとえば拒食症とかアルコール中毒とか、その手の疾患を抱える人達は、自助グループというものを作って苦境を乗り越えようとします。同じ立場の者が経験を語り合い、励まし合うことによってのみ救われるというケースが、確実にあるのです。

負け犬にしても、同じこと。勝ち犬と交流をして、可愛い赤ちゃんなんか抱っこさせてもらって、〝やっぱり結婚・出産って素敵ね！〟という気分が盛り上がることは、もちろんある。しかしその日の夜になれば負け犬は、〝それに比べて私ったら……〟と、確実に落ち込むのです。

そんな落ち込みから救ってくれるのは、親兄弟でも親戚でもない、他ならぬ負け犬仲間。吐露した心情に対し、

「わかるわかる。そうなんだよねぇ」

と言ってくれるだけで、人の心は安らかになるものなのです。

それは、戦友に近い感覚なのかもしれません。負け犬党という万年野党において、決して勝てない戦いを一緒に続けている者にしか理解できない、その友情。たとえ負け犬友達がこの先結婚して子供を産んで、負け犬の私とは全く話が合わなくなったとしても、かつて戦友だったという記憶を、私は絶対に忘れることはないと思います。ま、ちょっとは嫉妬すると思うけれど。

負け犬と孤独

現在の世の中において孤独とは、メザシのようなものなのです。

贅沢な食生活をさんざしてきた人は、

「私、メザシが大好物でねアッハッハ。毎日メザシばっか！」

と堂々と言えるけれど、贅沢な食事などしたことがないという人は、本当は毎日メザシを食べていても、メザシなど食べていないフリをしたがる。

同じように、

「私って孤独が大好きなんですよ、アッハッハ。いつも孤独！」

と言えるのも、既に家族を持ち世の中からも認められている、一部の知識人や趣味人のみ。それ以外の人は、本当は孤独であっても、懸命に孤独ではないフリをしなくてはならない。

　人はもともと、孤独な存在。その孤独を正面から受けとめて初めて、人は成長するのだ。……そのような論調は、方丈記とか徒然草の時代から存在してはいるのです。が、鴨長明や吉田兼好は、あまりに皆が「幸せとは、孤独ではないこと」とばかりに孤独を嫌う

ことにウンザリして、あのようなエッセイを書いたのだと思う。孤独礼賛の姿勢はやはり特殊なものであって、

「文章なんかを書く必要の無い人間は、特に好んで孤独とかを感じなくたって、いいんでねぇの？　やっぱり、家族や友達に囲まれて生きるのが一番でしょうよ」

というのが、昔も今も一般的な考え方でしょう。

負け犬は、孤独です。

結婚もしておらず、子供もいないのですから、孤独なのは当たり前なのです。

中には、

「私、ちっとも孤独じゃないわ。仕事は順調だし、昔からの友達だって趣味の仲間だっている。兄の子供達だって、私になついちゃっているから遊びに連れていってやらなきゃならないし。やることがたくさんあって、すごく忙しいの」

と言う人もいましょうが、その手の人は単に孤独を直視しないようにしているだけであって、本当は彼女も、確実に孤独なのです。

彼女が孤独である証拠は、「忙しい」というところ。負け犬は孤独であればあるほど、自分で孤独に気付かないようにするため、趣味だの仕事だの旅行だのでスケジュールをガッチリ固めます。

本当は、仕事仲間も昔からの友達も趣味の仲間も、一生を共にしてくれるわけではありません。兄の子供だって、いくら可愛がってみても、負け犬自身の子供ではないのです。

兄の妻も、我が子のように自分の子を可愛がってくれる夫の妹に対して、

「あまり贅沢なものとか、買い与えないでね。うちにはうちの方針があるんで……」

とも言えず、ずいぶんと気を遣っていることでしょう。なにせ相手は可哀相な負け犬、下手なことを言ってキャンキャン吠えられたら、たまったものではありません。

孤独感を感じていない人は、暇なことを恥じません。子育てを終えつつある専業主婦、でも夫の稼ぎには余裕があるので仕事をする気など全くナシ、という人が、

「今日もね、友達とランチした後は帰ってきて猫と一緒に暗くなるまで昼寝しちゃったわよ、フフ。毎日こんな感じだから太っちゃって、フフ」

と、堂々と言うことができるように。

対して負け犬は、孤独であるから、孤独を恥じる。恥じているから、孤独を隠す。

とか、

「あなたって、孤独な人なのね」

「本当は寂しい人なのね」

などと言われることを最も恐れる人々にとって、絶対にばらしてはならない恥部が、「自分が孤独であること」なのです。

孤独に対する耐性という部分で考えると負け犬は、「孤独に強い、というより孤独が好きであるが故に結婚せず負け犬となった」タイプと、「孤独に弱いあまり、男性と付き合ってもベッタリしすぎて暑苦しく思われて負け犬となった」タイプに分けることができま

す。このうち、やたらと忙しい負け犬というのは、後者のタイプ。

「明日は飲みに誘われてるし、明後日はお芝居観にいくし、週末は温泉でしょ？　仕事もすっごく忙しいのについついつい遊んじゃうから、もう疲れちゃって」

とことさら自分のスケジュールの埋まり具合をアピールする人ほど、〝ああこの人って……、寂しいんだなぁ〟と周囲の人に思わせてしまうわけです。

対して前者の負け犬、すなわち孤独に強いタイプの負け犬は、孤独を隠すようなことはしません。

「友達？　少ないです」

とか、

「来週？　ずーっとヒマ」

とか、

「恋人？　いませんけど」

といった発言を恥じることなくできる。

では彼女達が「自分が孤独であること」に対して何も不安を抱いていないかといったら、そうではないのです。一人でいるのはとても心地よく、現時点では何のストレスも無いのだけれど、「これが一生続くとしたら」と考えると、「さすがの私も寂しくなるのでは……？」という不安がよぎる。

老後の孤独を解消するには結婚するしかないのではないかと、孤独に強い負け犬も一応は考えるのです。が、結婚すると夫という他人と一緒に住まなければならないのかぁとか、夫の親とか親戚とも付き合わなくてはならないしぃとか、ああ天涯孤独で別居結婚希望の男性と知り合わないものかしらん、などと考えているうちに、気持ちが重ーくなる。歳をとったらとったで、孤独のことはまたその時に考えればいいか……と、つい思ってしまうのです。

孤独に強くとも弱くとも、負け犬が孤独を嚙み締めなくてはならない時期は、年に何回かは訪れます。それは盆暮れ正月、ゴールデンウィークにクリスマスといった時期。つまり家族で一緒に楽しく過ごすのが本来、という時期です。

テレビで渋滞のニュースを見れば、

「可哀相にねぇ、あんな道を通ってまで夫の田舎に帰ったりしなくちゃならないなんてねぇ。帰ったら帰ったで姑に嫌味を言われたりしてねぇ。アーその点私は自由！」

とつぶやいてみるけれど、そんな自分はすごく暇。不倫などしていようものなら、「あの渋滞の中に不倫相手はいるのか」と、さらに落ち込む。

頼みの綱である女友達と会っていても、その時期はどうも気分が沈むのです。

「十二月三十日にタラソテラピーに来ている三十女二人、っつーのもねぇ」

「哀しいものがありますなぁ」

「でも周り中、そんな人ばっかり」

「でも一人で来てる負け犬だっているし」

「あの人よりはマシか」

「いや、全然マシじゃないと思うよ」

と、ボソボソ話す。

お正月は、一応実家に帰ってはみるものの、そこに何ら発展的な話題があるわけではない。その家の未来にかかっている暗雲の存在に気付かないフリをしつつ、

「今年は田作りがちょっと堅くて」

「黒豆、よくできてる」

なんていう表面的かつ断片的な会話を交わすのです。

誕生日というのも、負け犬にとっては危うい日です。誕生日は彼と二人で……という過ごし方が諸般の事情によって不可能である、ということが前々からわかっているため、早めに女友達の手配はしておくのです。女友達もその辺は心得ているので、友人のためにそれは楽しいバースデー・パーティーを開いてくれる。プレゼントだってお花だってたくさんもらったし、ケーキもシャンパンもあるよ。

……でも。

普通に結婚して子供を産んでいたら、今頃はお花もシャンパンもないだろうけど、小さなミカちゃん（娘）が「ママへ」なんていう似顔絵を描いて、プレゼントしてくれているはず。さらには夫が、

「ママ、おめでとう」

と（もう互いのことをパパ、ママと呼び合うお年頃）、ゴミみたいに小さなダイヤモンドがついてるネックレスをくれてホロリと来たり、そんなもんは全くもらえずに「私の人生、これでいいのか」と落ち込んだりしたはず。……一つ歳をとるという日の迎え方としては、どちらが幸せなのかと、考えずにはいられまい。

負け犬は、旗日に弱いのです。パリに憧れて単身乗り込んでくる日本人女性達は、クリスマスの時期にみんな精神が不安定になると言いますが（パリはカップルだらけだし、恋人がいないフランス人は家族の元へ戻るので、恋人がいない単身者など街にうろついていない）、同じようなことが日本の負け犬にもおこるわけです。

日曜日もまた、一種の旗日。土曜は外で遊ぶ人も、日曜の夜は家族で夕餉《ゆうげ》を囲んで「サザエさん」と大河ドラマも観るのが、日本人の正しい姿です。

負け犬は、土曜の夜は友達と遊んだりスポーツジムに行ったりお稽古ごとをしたりしているけれど、日曜の夜は一人。本屋に行っても一人、レンタルビデオ屋に行っても一人、デパートに行っても一人。電車に乗っても、まともな人は皆、家族連れです。負け犬をツブすなら、日曜の夜が狙い目なのです（しかしなぜツブす？）。

法事や結婚式など、親戚が集まるような機会も、負け犬は得意ではありません。二十代後半まではまだ、

「まだ結婚しないのか？」

と親戚から言われていたけれど、既にそんな声もかからなくなる。親戚の中に一人だけ

いる、〝七十過ぎた現在まで独身で通したキャリアウーマンのはしりの伯母〟に心の中で密かに共感の声を投げかけてみるも、結婚したいとこ達が皆、夫婦に子供という形で参加している中では、多勢に無勢。

「お仕事持ってる人は結婚なんかすることないわよ、ねぇ？」

と言ってくれる勝ち犬いとこの優しさが、有り難いような身を切るような。

地震等の突発的な災害や危機の時も、負け犬は孤独を感じます。

たとえば「九・一一」の同時多発テロの時、崩れゆく世界貿易センタービルの映像をテレビで眺めながら私は、「ああ、もし私があのビルの中にいたとしても、自分の親以外の誰かが真剣に嘆き悲しむことはないのだなぁ」としみじみ思った。テロによってアメリカ人は家族の大切さを再確認したと言いますが、そんな風潮を横目に、アメリカの負け犬達はさぞや孤独感を深めていることだろうとシンパシイを覚えたものです。

病気の時も、孤独です。もちろん負け犬の友情は篤《あつ》いですから、友人知人が面倒を見てくれたりはするのですが、友人知人はやはり、家族ではない。高熱にうなりつつ、「一人で思う存分うなることができるのは悪くはない。が、しかし……」と天井を見つめる。

……と、ここまでは相当悲観的な見地から負け犬と孤独との付き合いを書いてきましたが、負け犬は負け犬で、孤独との付き合い方を会得していることも事実です。負け犬生活を長年送っていると、「人間、孤独では死なない」ということがわかってくる。孤独であっても、お腹は空くしごはんはおいしい。そして孤独という状態は、実はストレスの少ない状態なのです。孤独で落ち込むということはあっても、それはストレスではない。人間関係の軋轢《あつれき》にさらされる生活の方が、よっぽど人の寿命を縮めるというものです。

孤独感には波があることも、負け犬は既に知っています。まだ若い頃は、孤独な気持ちになると、

「こんな気持ちがずーっと続いたらどうしよう！」

と、絶望的な気持ちになったものです。が、経験を重ねると、その手の気持ちは一時的なものであることがわかってくる。ゴールデンウィークにどこにも旅行へ行かず、

「普通の人はお天道様の下でキャンプとかしてるだろうに、私はなんて孤独なのだ。今の鬱屈した気持ちは、結婚して子供を産めば全て解決するに違いない！」

なんて心の右側で思っても、

「でもこんな気持ちって、ゴールデンウィークが終ればどこかに行っちゃうものなんだよねー。結婚すれば全てがうまくいくなんて、そんなことあるわけないじゃーん」

という意識を心の左側で持っているから、孤独の発作にもあせらず対処することができるのです。

負け犬が読むような女性雑誌ではよく、

「一人でいられる女性でなくては格好いい大人とは言えないし、恋愛だってうまくいかない」

という論調が張られています。確かに現在、「一人でいられる女」の供給は豊富なので、

このような論調が求められているのでしょう。

「一人上手と呼ばないで」

と中島みゆきが歌っていた時代とは、大きな違いです。

では「一人でいられる女」に対する需要はあるのか。つまり「〝一人でいられる女〟は、異性から求められているのか」と考えてみると、これは疑問を抱かざるを得ません。

経済的にも精神的にも自立している女性に対して、

「お前は一人で生きていけるだろ。でもあの子は放っておけないんだよ」

と言うような男性は、常に一定量この世に存在します。自立した女は、「その『あの子』っていう女は、一人で生きていけないフリが上手なだけだってことに気付け！」と心の中で叫びながらも、

「じゃあ、一人で生きていきます……」

と、本当に一人で生きてしまうのです。

フンっ、自立してない男女同士は勝手に仲良くやってちょうだい、私は自立している男性を探すわ！……と「一人でいられる男」に目を移してみると、実は「一人でいられる男」は「一人でいられる女」を欲しているわけではありません。彼等は純粋に一人を愛しており、ずぅっと一人でいたいだけ。そしてまた負け犬は、一人になる。

こうしてみると負け犬って悲惨、と思われるかもしれませんが、私達は既にわかっているのです。

「一人上手と呼ばないで」

と歌ってはいたけれど、たぶん相当な一人上手であろう中島みゆきと、夫の姓を名乗り続けることによって勝ち犬であることをアピールし続けるユーミンとでは、どちらが本当に孤独であるかはわからない、ということを。そして孤独感と幸福感は、必ずしも相関関係を持ってはいない、ということを。も一つ言うのであれば、幸福であることが良いことかどうかすらも、今となってはよくわからない、ということを。

「ええ、私は孤独ですけど。でも孤独って別に罪悪じゃありませんし、孤独だからこそ見えてくるものも、ありますしねフフ」

と、ほとんど泰然気味の、負け犬達。現代の兼好法師とは、負け犬達のことを言うのかもしれません。

負け犬の存在意義

　私は、何のために生まれてきたのか。

……なーんてことを、誰しも若い頃は考えるのだと言いますが、思い返してみても私は、そんなこと考えたことが一度もありませんでした。「別に、何ら使命とか意味とか帯びずに、たまたま生まれてきただけなんでねぇの？」という気がしていたから。

　ですが負け犬になってみると、思うのです。

「負け犬は、何のために負け犬となったのか」

ということを。

　勝ち犬であれば、答えは簡単です。次世代を産み育てるという、誰からも文句のつけられようの無い貴い任務が、彼女達にはある。では負け犬には？

……と考えてみると、別に何も無い感じ。仕事はしているけれど、たいていの仕事は、別に誰がやろうと成立するものばかりだし、もしその仕事自体が消滅したとて、会社だって世の中だって普通に回っていく。難病を治療する新薬を開発するとか、一国の元首となって悲惨な紛争を解決するとか、それくらいの仕事をしない限りは、子産み・子育ての価値には匹敵しないのではないかと思われるのです。

それでも、と私は思います。世の中に、かくもたくさんの負け犬がいることには、何らかの意味があるのではあるまいか。何の意味も無いのに、神様はこんな大量に負け犬を発生させるのだろうか？ ……と。

たとえば、負け犬を見ることによって勝ち犬達は、「可哀相に、あの人達はきっと将来、一人ぼっちで老いていって寂しい思いをするに違いない。それに比べたら子育てのつらさなんて！」と、子育てに励む力を得ることができる、とか。「負け犬の分も、私が頑張らなくては！」ともう一人子供を産んでみる気になる、とか。

若者への好影響も、あるかもしれません。つまり今の若者達が、私達負け犬の姿を見て「ああはなりたくない」と思って急に結婚・出産に励むようになって一気に日本の少子化が解決する、というように。ああ、そんな風になったとしたら、負け犬としては本望。少子化を止めた人柱《ひとばしら》として、負け犬になった甲斐があろうというものです。

でもまぁ、たぶんそんな風にはならないであろうという濃厚な予感はするわけですが、だとしたら負け犬は、どのように生きていくことによって、社会のお役に立つことができるのでしょうか。

多くの負け犬達との付き合いの中で私が感じるのは、負け犬が負け犬として存在していく上で重要な要素とは、「お得感」と「可愛気」の二点なのではないか、ということ。

負け犬は、世間に対して子供という「得」をもたらしていない存在です。ですからせめて人と会った時くらいは、相手にお得感を覚えていただきたい。そのお得感とはたとえば、妙に面白くて話しているとゲラゲラ笑える、とか。知識が豊富で非常にためになる、とか。とても優しくて相対しているだけで心が和む、とか。

これからの負け犬は、いくらマイナーな存在だからといって「私は負け犬なのよ。文句あっか」とふてぶてしい態度でいるべきではないのです。「どうせ負け犬だし」と世をすねるべきでもない。これだけ負け犬が増えた以上、社会の一員として「少しでも貢献しよう」という真心からのサービスを心がけて生きた方がいいのではないか。それはつまり、消費者金融会社の存在感と似た感じ。

また負け犬の中には、若者から精気だの若者文化についての知識だのを吸い取ろうと目を爛々《らんらん》とさせる人がいるものですが、若者を前にしてあまりに物欲し気な態度でいるのも、浅ましいものです。できることなら、吸い取る側より与える側へ。吸い取るなら吸い取るで、バーターとして何がしかの得を若者に与えられるだけの度量は、持っていたいと思うものでございます。

注意しなくてはならないのは、相手に得を与えようとするあまり、気持ちが上滑りすること。すなわち、積み重ねてきた知識やノウハウを若者に伝えようとしたところが、

「アタシの若い頃はもっとバリバリ残業して徹夜も珍しくなかったわ」

と単なる過去の栄光自慢になっていたり。自慢のつもりで語っているネタがあまりにも古くさく、

「バブルの時代に豪遊した思い出をひけらかされてもねぇ……」

と鼻白まれてしまったり。また年下の人達の未熟さが気になる方が先に立って、

「仕事の時にそういう服装って、どうなのかしらねぇ……」

と、小姑《こじゅうと》のような態度に出てしまったり。

自慢ばっかりしている負け犬、そして怒ってばかりいる負け犬というのは、「ああ、この人は周囲から認めてもらいたくてしょうがないのだなぁ」ということが見えてしまう分、寂しいものです。だからこそ必要となってくるのが、可愛気なのでしょう。

私が先輩負け犬を見ていて、「あ、いい感じ」と思えるのは、自分のことは自分でできるのは当然として、こちらにお得感を与えながらも、負け犬としての弱味も開陳《かいちん》することができる人。そして天性の無邪気な部分も、垣間《かいま》見《み》える人。無邪気に隙を見せることができるという資質がすなわち可愛気であり、その可愛気があれば、負け犬が罹患《りかん》しがちな自慢病や怒り病を避けることができるのではないか。

負け犬にとっての可愛気は、媚びとは異なります。時折、「可愛いって思われたい！」と思うあまりに、目を覆わんばかりのブリブリの媚びっぷりを異性や若者に対して発揮している負け犬を見かけますが、それは自慢病や怒り病以上に重篤《じゅうとく》な疾患。負け犬にとっての可愛気とは、「可愛い女の子」と言う時の可愛さではなく、「可愛いおばあちゃん」と言う時の可愛さと同種のものであることを、心得ておきたいものです。

それにしても私達は、負け犬になってまでも、そしておばあちゃんになってまでも可愛

らしくあらねばならないというのは、何だか虚しいものです。実際、日本において可愛気とは、歳をとればとるほど必要になってくるもの。「容姿が可愛くないのだったらせめて態度は可愛くあれ」というプレッシャーが、そこにはあります。

幼形愛好が盛んな日本において、それは仕方の無いことなのかもしれません。完璧に成熟した容姿や精神は人を恐がらせるので、幼く未熟な部分を、フリでもいいから残しておかなくてはならない私達。日本に生まれてしまったことを不運として、甘んじて受け入れるしかないのでしょう。

これからはますます、負け犬過多の時代になっていくと思われます。負け犬が珍しかった時代は、お嫁にいきそびれてしまった社会的弱者として社会から哀れんでもらえたかもしれませんが、負け犬だらけになってしまえば、特別扱いもされなくなる。それどころか「子供も産んでいないのに老後の世話は社会にさせようなんて」と、厄介者扱いされるに違いない。つまり、負け犬が「負けてます」と腹を見せるだけでは生きていけなくなる時代が、やってくるのです。

その時、愛される負け犬とそうでない負け犬の差が、出てくることでしょう。どれほどの得を社会に、そして周囲の人に与えられるかによって、幸福度は異なるに違いない。負け犬社会にも、淘汰《とうた》の波はやってくるのです。

負け犬という状態に不満を感じているのであれば、勝ち犬になる努力をするのもいいでしょう。が、それと同時に私達は、負け犬のままで生き続けることも考えなくてはならない。煮物が上手とか、大金持ちであるとか、肩を揉むのが得意とか、ノーベル賞をとるとか。スケールの大小にかかわらず、まぁとにかく何らかの一芸を持つことが、負け犬を救うのです。

他人にお得感を与えることができる凸する部分を、持つ。しかし凸部ばかりにすがって生きるのは痛々しい上に哀しみも伴うので、弱みやマイナス面といった凹部（ただし、借金地獄にはまっているとか暴力癖といったあまりに激しい凹ではないことが望ましい）も、ちらりと見せて、勝ち負け両犬からの親近感も、得る。負け犬過多の日本においていかに生きぬくかは、この凹凸バランスのとり方に、かかってくるのだと思います。

負け犬と敗北

　このエッセイにおいて、私は結婚していなくて子供もいないような女性のことを「負け犬」と言い続けて参りました。今回まで書いていていてつくづく感じたのは、人はやっぱり負けるのが嫌いなのだ、ということ。

　結婚していない三十女と話していて、

「で、あなたも私も負け犬なわけじゃない？」

と何気なく言ってみると、多くの負け犬は必死にかぶりをふったり、喰いついてきたりするのです。

「ええっ、結婚してないと負け犬なワケ？　どうして？　結婚で勝ち負けは決まらないと思うわ！」

　とムキになる人は、ムキになる時点で既に負けている。

「私、結婚してはいないけどボーイフレンドはちゃんといるし、先週も○○さんに誘われたしその前は××さんに旅行に行こうって言われたし……」

　と「男には不自由してません」ということを必死にアピールする人は、「結婚相手として男性から選ばれたことはない」ということに負い目を感じているからこそ言い訳をせずにいられないのだろうと推測される。

負け、という言葉を出すとこうもビビッドな反応があるところを見ると、負け犬は心のどこかで自らの負けを自覚しつつ、それを認めることができないでいるのでしょう。負け犬的パーソナリティーを持つ人はたいてい負けず嫌いで、負けることに慣れていないものですし。

では負け犬は負け犬同士で仲良く団結しているのかといえば、そうではありません。負け犬同士の間でも、目に見えぬ序列があるのです。

まず、結婚歴ありの負け犬の方が、結婚歴なしの負け犬よりも当然ながら偉い。それだけでなく、結婚歴なしの負け犬の中にも、序列は存在します。恋人は、いないよりいる方が偉い。特定の相手がいる人は、結婚歴も恋人も過去にモテた経験もナシ……という〝蜘蛛の巣城のお姫様〟タイプの負け犬を見下ろしつつ、〝よかった、私はあんなんじゃなくて〟と胸を撫《な》でおろすのです。

が、「男はいるのよ」と主張する元美人の負け犬の方が、「私、モテなくて」と弱気な負け犬よりずっと恐くて、本人は気付かないながらも嫌《いや》ーな汁を垂れ流しまくっていることは、ままあります。また「男はいる」といってもその男が既婚者だったりすると、負け犬同士から見ても、すごく縁起の悪い感じが漂っていたりもする。負け犬界の序列は、複雑に入り乱れているのです。

異性関係とは別に、どんな仕事をしているかも、序列には関わります。結婚も子育てもしていないとなるとやることは仕事しか無いわけで、より良いキャリアを積んでいる方が何となく偉いし、

「仕事と結婚したって感じです」

と、負け犬であり続ける理由を、キャリア構築のせいにすることもできるのです。

この手の序列は、しかし負け犬業界より勝ち犬業界の方がずっと厳しいのです。家庭もキャリアも、という緒方貞子を頂点として、夫の地位や子供のお受験の成否や自身の美貌等々様々な条件によって、ヒエラルキーが形成されている。

人間誰しも、〝私の方がまだマシかしら〟とホッとしたいがために、自分より下の存在を必死に見つけようとするものです。他人との小さな差異を見つけては「私は負けてない」と信じ、自らの存在意義を確認するのは、負け犬も勝ち犬も同じ。

もちろん負け犬界のヒエラルキーなど、端から見れば「目クソ鼻クソを笑う」てなものでしょう。だからこそ「男はいるのよ」という自負の強い負け犬達は、

「私は、結婚『できない』のではなく、結婚『していない』だけなのだ。しかし世間の人達は、私も『できない』人と同じにしか見ない！」

とイラつく。そして、

「その誤解をはらすには、一度結婚してみせるしか無いのであろうか……」

と悩むのです。

女性の社会進出が進み、それと同時に晩婚化や少子化が進む、日本。昔のように、結婚するのが当たり前という時代ではなくなり、結婚の価値は低まったと言われています。が、それは違うような気も、私はするのでした。日本に住む雌雄の負け犬達は、結婚をしないで子供を産み育てているわけでもなければ、結婚をしない方が良いという確固たる信念を持っているわけでもありません。オスもメスも、異性に求めるものがあまりにも違うせいで、〝結婚したい相手もいないし、しないでいるか〟程度の気持ちで、ただ漫然と歳をとっていくだけなのです。子供を欲する気持ちは持っていても、結婚をせずに子供を産み育てる土壌は日本には存在しないので、子供の数も減るばかり。

何でもアリの現代日本だけれど、家庭を持たないことは実はまだまだ罪悪です。負け犬は、その罪を犯したままで逃亡を続けているようなもの。時効にはまだ、というよりおそらく永遠にならないからこそ、負け犬はずっと自分で自分を正当化しつつ生きていかなくてはならない。

負け犬生活を長く続けた人が結婚した時、幸福というよりは安堵の表情に包まれているのも、「これで長い逃亡生活が終った」という福田和子的心情が湧き上がってくるからなのでしょう。

実に、負け犬同士で話している時にいつも話が及ぶのは、「負け犬存在の正当性」についてなのです。お金も時間も自分の自由にできる負け犬の生活は、とても人間的。おまけに負け犬は真面目で勉強熱心ですから、高いクオリティー・オブ・ライフを保ってもいる

のです。が、

「でもいくら自分の生活は楽しいし充実しているのだって主張してもさ」

「勝ち犬からは『負け犬の遠吠え』って思われてるっていうのがわかるよねぇ」

となってしまう。そして、

「生活の質っていう意味で見たらさ、本当に一番可哀相なのは、貧乏な主婦よねぇ」

「でもきっと貧乏な主婦って、〝私は貧乏な主婦だけど、でもとりあえず現時点で結婚はしている。負け犬ではないのだ〟ってところを心の拠り所にして、頑張っているんでしょうねぇ」

「ということは私達も、少しは人様のお役に立っているということかしらねぇ」

「だといいわねぇ」

と、何となく納得してみる。

結局、負け犬達は、

「ええ、私は結婚しない道を選びましたがそれが何か？」

と、さっぱり割り切って毎日を過ごしているのではないのです。私達は、

「えーっと私は結婚できないいんじゃなくてしないだけで、それでも私は毎日楽しいから十分幸せなんで、勝ち犬から同情なんかされると心外だし、むしろ私は勝ち犬の方が可哀相って思ってるくらいなんで、今さら結婚しろって言われても一人の生活が快適だから無理だって思う……んだけど歳をとったら寂しいかもしれないし、でもそれに気付いた頃には

もう恋愛相手なんか現われないかもしれないし、っていうことは結婚って保険みたいなものだから、『はいれます終身保険』に今のうち入っておいた方がいいのかなっていう気もするけれど、でも保険にしがみつくっていう選択も何か貧乏臭いような……」

と、もやもや考えながら生きている。

負け犬の数は、増加の一途をたどっています。仲間が増えることは心強いことでもありますが、それは同時に結婚の希少性、家族の希少性というものを高める役割も果たしています。素敵な家族の数が減れば減るほどその価値は上がり、同時に緒方貞子的勝ち犬の価値も上がるのです。「仕事しかやっていないのにその仕事がロクにできない負け犬や、また家庭のきりもりしかしていないのに子供をグレさせる主婦がいる中で、家庭も一流、仕事も一流とは何とすばらしい！」……と。

家庭も仕事も、という貞子的究極の勝ち犬達を眺めつつ、私は一方で伝統的負け犬のボスである、おたかさんこと土井たか子に思いを馳《は》せずにはいられないのです。おたかさんは、脇目もふらずに日本を良い国にしようと頑張ってきた、はず。「結婚もせずバリバリ働く女」が目新しかった頃はその姿が称賛されもしたけれど、次第に制度が整って「家庭も仕事も」という生き方が可能になった今は、貞子にキャリアの女王の座を奪われてしまったのです。最近めっきり元気の無いボス犬・たか子に、私は哀しみを覚えずにはいられません。

しかし日本にはまだ、市井の負け犬達がシンパシィを寄せる最後の大物が控えていることを、忘れてはなりません。してそのお方とは、紀宮様A《アズ》・K《ノウン》・A《アズ》・サーヤ。
私は天皇ご一家の集合写真を見ると、サーヤの姿に自分の姿を重ねずにはいられないのでした。サーヤの二人の兄の横にはそれぞれの妻と子が寄り添っているのに、サーヤは端の方に一人で立っている。何かの行事の際には、サーヤより前に兄の妻達が並んでいる。親戚の集まりにおける自らのいたたまれない立場、というものを私は思い出さずにはいられません。

　サーヤがまだ二十代の頃は、〝サーヤったら、いつ結婚するのかしら？〟と面白半分で彼女のことを見ていましたが、もう今となってはそんな気持ちは消えています。届かないとは知りつつも、心の中で「色々あるけど……、頑張りましょうねぇ」と声をかけているのです。

　その想いは、平成十五年の歌会始における、雅子様と紀宮様の歌を読み比べてみて、ますます強まったのでした。「町」というお題で詠まれた雅子様のお歌は、

「いちやう並木あゆみてであふ町びとにみどり児は顔ゑみてこたふる」

というもの。母親としての喜びが強くあらわれています。そしてサーヤのお歌は、

「音すべてやみたるごとし北国の町にしんしんと積もりゆく雪」

……嗚呼、何をか言わんや。北の町で雪を静かに見つめているサーヤの肩に、私はそっと手を置きたくなるのです。

　が、しかし。雪を眺めていたサーヤの心は、きっと満ち足りていたと思うのです。静か

に降り積む雪の美しさを、心ゆくまで味わっていらしたに違いない。

一人だからこそ感じることのできる雪の美しさもあり、その美しさは勝ち犬には理解のできない質のもの。……という私の主張を「負け犬の遠吠え」だと嗤《わら》わば嗤え。

「子供を産まないと、わからないことってあるのよ」

と言う人がいるように、「負け犬になってみないと、わからないこと」だって、世の中にはきっとある、のだから。

負け犬にならないための十ヵ条

1 不倫をしない
2 「……っすよ」と言わない
3 腕を組まない
4 女性誌を読む
5 ナチュラルストッキングを愛用する
6 一人旅はしない
7 同性に嫌われることを恐れない
8 名字で呼ばれないようにする
9 「大丈夫」って言わない
10 長期的視野のもとで物事を考える

1　不倫をしない

勝ち犬を目指す人にとって、最もしてはいけない行為が、不倫です。「ちょっとくらい」という好奇心が、大きな回り道の原因となることは、本書でもさんざ述べた通り。「人を好きになるのは素晴らしいことだと思うの、たとえ相手が結婚していようと」などと屁理屈をこいている暇があったら、ネイルサロンにでも行きましょう。

晩婚化・少子化の大きな原因となっている、この不倫禍。果たして放置しておいてよいものなのかと私は真剣に思う。

政府の少子化対策の中には、

「子供を育てることの楽しさを若者に教える」

みたいなものがありますが、

「不倫することの危険性を若者に教える」

ということも、日本の将来にとっては非常に大切なことであると思われます。

反対に言えば、負け犬になりたいという人にとって、不倫は一番の近道。負け犬の暮らしに憧れるという奇特なあなたは、覚悟して人の道を外れましょう。

2　「……っすよ」と言わない

負け犬に多く見られる特徴の一つとして、人と話している時の語尾が「……っすよ」となりがち、というものがあります。これは「……ですよ」をカジュアル化した言い方であり、かつてはオヤジとかサラリーマンとか男子学生がよく使用するものでした。

負け犬が、この「……っすよ」を多用する理由は、いくつか考えられます。男社会において労働している結果、男性化していったから、とか。「……だわ」「……よ」といった明らかな女言葉は使うのはどうにもテレるから、とか。

が、勝ち犬になりたいのなら、男性化してもいけないし、テレてもいけないのです。「これってイマイチっすよねぇ、あっはっは」と豪快に笑う負け犬は、男性にとっては付き合い易い同僚ではあるものの、異性としては認識されづらい。昼は「……っすよ」と言う女が夜になったらどのような態度を見せるのか見てみたい、などという好奇心を持つほどのフロンティア・スピリットを日本の男性は持っていないので、昼のうちから「私は女なのよ」というわかりやすいアピールをしておくことが、勝ち犬となるためには大切なのです。当然、自分のことを「オレ」などと言うことも、いくらウケ狙いでも絶対にやめておいた方がよいでしょう。

3 腕を組まない

腕組みも「……っすよ」と同様、負け犬に非常によく見られがちな行為です。腕を組んだ上に脚まで組み、眉間にシワを寄せて考え事をしている負け犬をよく見るもの。

腕組みは、「相手を警戒している」「自分のことは自分で守る」といった意志を感じさせる行為です。誰かが手を差し伸べたくとも、相手が腕組みをしていたら差し伸べようがない。ですから勝ち犬を目指す人は、「誰か、この腕をつかんでどこかに連れていってぇ〜」という意志が明確に伝わるように、腕は常にフラフラさせておかなくてはなりません。

とはいっても、脇を甘くするのは、良くないのです。手を腰に当てての仁王立ち、とか。マタを広げて座りつつ新聞を読む、とか。その手の姿勢は、腕組みと同様、誰かの侵入・介入を拒絶する姿勢。脇とマタは締めつつも付け入る隙は十分ある、というポーズは、光文社系の雑誌におけるモデルの立ち方を見て、研究すると良いでしょう。

4 女性誌を読む

ということで勝ち犬になるために、人は女性誌を読まなくてはいけません。女性誌というのは、読みすぎるとバカになりますが、読まなさすぎるとブスになるのです。

様々な女性誌が発行されていますが、こと勝ち犬になるために読むのであれば3でもご紹介した通り、「ＪＪ」「ＶＥＲＹ」「ＳＴＯＲＹ」といった光文社系の雑誌、もしくは「ヴァンテーヌ」「25ａｎｓ」といった婦人画報社系の雑誌を選ぶべきです。

この手の勝ち犬系女性誌は、若い女性の夢やイメージをふくらませるために存在するものではありません。それらはあくまで、「いかにして勝ち犬となるか」という明確にして揺るぎない目標の許に作られた実用書。

「お洒落な格好をして都会的な暮らしをしたい」

といった妄想を抱きつつモード系の女性誌を読んでも、

「いつも夢を持って自由に生きたい」

といった薄ボケた理想を抱きつつ生き方情報系の女性誌を読んでも、人は勝ち犬にはなれないのです。

「いかにして質の良い配偶者を得て子を生《な》すか」

さらには、

「配偶者を得て子を生《な》した後、誰からもケチのつけられようのない幸福をどのようにキープするか」

という具体的指導がなされている勝ち犬系女性誌を厳選したいものです。

この手の雑誌を読むことによって教えられるのは、しかし「男ウケする髪型」とか「露骨すぎない露出の法則」といった些末《さまつ》なテクニックばかりではありません。勝ち犬女性誌が世の女性達に教えようとしている最も重要な問題は、

「疑うな」

ということ。

「私はこのままでいいのか?」

「本当の自分って?」

などという、自分以外の人間には何ら意味を持たぬ疑問を抱いてうしろをふりかえったり考え込んだりせず、「夫と子供とお金とお洒落」を得ることイコール幸福、ということを信じて疑わない姿勢を持つ。何でも欲しがる現代女性に、ある意味で「足るを知れ」と

いうことを教えようとしているのが、勝ち犬系女性誌なのです。

　この手の思想を体得するのは、しかし一度疑問を抱いてしまってからでは遅すぎます。娘を持つ親御さん達は、高校生くらいから「ＪＪ」などを与え、危険な負け犬思想に汚染されないようにするのが望ましいでしょう。

5　ナチュラルストッキングを愛用する

　勝ち犬を勝ち犬たらしめる、象徴的存在。それがナチュラルストッキング（以下、ナチュスト）であると私は思います。

　常識的な丈のスカートから伸びるナチュストをはいた脚というのは、ダサすぎもせずおしゃれすぎもしないという絶妙な存在感を、常に醸《かも》し出してくれる。良く手入れをされてハチミツ色に輝くナマ脚や、複雑な模様がある黒タイツをはいた脚とは違って、「私は普通の人間です」ということを、世に知らしめてくれるのです。

　その普通さというのは、エロさでもあります。負け犬である私は滅多にナチュストをはかない人間ですが、法事などの時に止むを得ずナチュストを身につけることがあります。「ああ面倒臭い……」と思いつつナチュストをはき、それだけで鏡の前に立ってみると、ストッキングの肌色の向こうにパンツが透けて見える具合いは、格好悪いからこそ妙に淫猥なもの。靴を脱いでお座敷に上がった時に足の指が見える感じとかも、ナチュストならではのエロさだと思う。

この普通であることのエロさを、普通の男性は好みます。ナチュストをはき、ワールドとかサンヨーが出しているOLブランドの服など着ている女の普通さ・エロさは、日本男児にとって米のメシのようなものなのです。

ナチュストファッションは、しかし決してラクなものではありません。ストッキングをはいている時の、あの密着感の気持ち悪さに常に耐えなくてはならないし、ストッキングの下でムダ毛が渦を巻いたりしないように脚の脱毛にも気を抜けない。ナチュストにはパンプスやサンダルなどの靴をはかなくてはなりませんから、外反母趾も避けられない。

つまりそれらの気持ち悪さや身体の変形にも耐えるくらいの気概がなくては、勝ち犬になどなれないのです。「ラクだから」「無理は身体に悪い」と軍パンやドタ靴を愛用し、三十歳を過ぎても足の親指を真っすぐに保っているような人は、負け犬でいるしかない。……ということが、親指が内側に折れ曲がり、指の関節に赤黒く色素沈着している勝ち犬達の素足を女風呂において見ると、よーくわかるのでした。

6　一人旅はしない

勝ち犬になるために、人は寂しがり屋でなくてはなりません。ストレスは常に他人との軋轢から生じるものであって、「一人でいる」ということは、ストレスとは無縁の快適な状態。その快適さをあまりにも知りすぎてしまうと、人は誰かと一緒にいることに耐えられなくなってしまうのです。

負け犬になりたくないのであれば、子供の頃から一人でいる時間を作らないようにする鍛練が必要です。急にヒマな時間ができたからといって一人旅などしてはいけないのはもちろん、一人メシを堂々と食べるようになってもいけないし、一人暮らしなどもっての外。

「あー、やっぱり家で飲むのが一番ラク」

と、自宅における単独飲酒行為など、問題外です。

勝ち犬になるには、常に多数派でいるというクセをつけておくことが大切なのです。一人慣れした負け犬は、「みんながするから」という理由で何かをすることが少ないのですが、多数派グセさえつけておけば、「みんながするから」という動機のもとに結婚や出産に進めるはず。

負け犬女性文化人は、負け犬系女性誌に「一人上手は恋上手」などというコメントを寄せているかもしれません。が、勝ち犬になりたいのならばそんな言葉に騙されてはいけない。第一、勝ち犬になるのなら一回の恋を確実に結実させればそれでいいのであって、恋が上手になどなる必要は全くないことを、忘れないようにしたいものです。

ただし注意しなくてはならないのは、勝ち犬になるには寂しがり屋でなくてはならないのは確かだけれど、あまりマジすぎてもいけない、ということ。「放っておけない女」だと思ってもらいたいあまり、

「今ずぐごごまで来でぐれながっだら手首切りまず〜」

などと男性の携帯に電話してしまっては、当然ながら逆効果なのです。ここぞという時にのみ寂しがり屋の顔を見せ、ギリギリまで行ったら、

「私、一人で大丈夫だもん」

と、涙目で言ってみる。つまり「寂しん坊であること」が勝ち犬への条件なのでは、実はないのです。重要なのは、「寂しん坊のフリがうまくできる」ということであると、肝に銘じましょう。

7 同性に嫌われることを恐れない

その昔、バブルの時代くらいまでは「彼ができると女同士のつきあいをおろそかにする女」とか「男の前と女の前とでは態度が違う女」とか「男ウケを考えた服しか着ない女」というのがたくさんいて、同性からおおいに嫌われていました。

その後、日本が不景気になるのとほぼ同時期に、「男ウケより女ウケ」という思想が、女社会の中で広がり始めたのです。不景気下において、一人の男性に自分の人生を託すのは危険な賭けだと気付いた女性達が、「それならば同性を敵にまわさない方がいい」と、方向転換。男から可愛いと思ってもらえる服よりも女から格好いいと思ってもらえるような服を選び、飲み会の時も「イヤダー」とかいって男性に触ったりせず、あえて豪放磊落《らいらく》な態度をとるようになったのです。

で、その結果が今の負け犬天国。確かに女同士の連帯は強まりましたが、日本の将来は

暗雲に包まれております。

そこで、勝ち犬を目指す皆さん。同性に嫌われることを恐れては、なりません。同性にいくら好かれても、親に孫の顔を見せてあげることはできないのです。

女同士の友情を失うのは恐いという心配も、そこにはあるかもしれません。が、そんな心配も無用。あなたが勝ち犬を指向する程度のことで今までの友情が崩れるのだったら、所詮それまでの友情だったのです。あなたが見事に勝ち犬となったあかつきには、あなたにとってよりふさわしい、勝ち犬同士の友情を獲得することができるでしょう。

8　名字で呼ばれないようにする

独身女性というのは大きく、「名字で呼ばれがちな女」と「名前で呼ばれがちな女」とに分かれるものですが、これはほぼ、未来の負け犬と勝ち犬の分布と重なっています。

名字はユニセックスなものですが、名前は性を明確に表す。当然、名前で呼ばれる女性の方が、自身の女性性を自分でも意識するし、また相手にも意識させることができるのです。

対して名字で呼ばれる女は、

「酒井ー」

などと男性からも気軽に呼ばれ続け、

「私って、女だっていうことを意識させない、おんなおんなしてない女なの」

と得意になるわけですが、そんなことで得意になってもしょうがない。それはただ、男性にとって何ら気を遣う必要の無い、壁紙のような存在感というだけの話。勝ち犬になりたいのであれば、環境が変わる度に、

「私のことは順子って呼んでください」

と、自ら言ってのけるくらいの厚顔さが欲しいところです。

「名前で呼ばれる女」の中でも真性の勝ち犬気質を持つ人は、自分のことを自分の名前で呼ぶ、という芸を身につけています。すなわち、

「順子ね、お腹空いちゃったの」

というように。この芸を持つ人は、自分で自分のことを、いちいち「私は女である」と意識しながら呼ぶということであり、筋金入りの勝ち犬者。

「順子、あれ欲しーい」

などとちょっと甘えた口調で言う人は確かに同性には好かれづらいものですが、7でも述べた通り、同性の評判など気にしていては、勝ち犬にはなれないのです。

「名字で呼ばれる女」の中でも、負け犬生活を長くやっているうちに、同類の中でのみ「名前で呼ばれる女」と化すケースもあります。すなわち、

「ねぇねぇゆうたん、じゅんたん疲れちゃったー」

などと負け犬同士で言い合うってやつ。ですがこれは、単なる負け犬の自虐芸でしかなく、勝ち犬を目指しての行為ではないということは、言うまでもないところです。

9 「大丈夫」って言わない

負け犬の悪い癖。それは、

「大丈夫？」

と聞かれた時に、

「大丈夫大丈夫、ぜーんぜん平気、全く問題無し！」

みたいなことを言ってしまう、ということです。たとえば、重い荷物を持っている時とか、風邪気味の時とか。たとえ自分では「あ、もう駄目かも」と思っていても、

「大丈夫？」

と聞かれると反射的に、

「大丈夫です！」

とクソ意地出して荷物を持ち上げてしまう。

勝ち犬気質は、違います。重い荷物が目の前にあったとしたら、持ち上げようなどとは最初から思わない。で、

「重ーい！」

と、キャーキャー言う。そうすれば、誰かがどこからかやってきて荷物を持ってくれるのです。

重いとかもう駄目だとか言わず、黙々と荷物を運んでいる姿を、どこかで誰かがきっと

見ていてくれるはず。そして努力はきっと、報われるはず。……という考え方を負け犬はしたがりますが、アピールもせずに黙々と働く人が日の目を見るのは、昔話か「プロジェクトX」の中だけのこと。現代においては、「あいつは何でも自分でできるヤツ」という評判を形成するのみ、なのです。

持てるからといって重い荷物を持たない方がいいのと同様、お金を持っているからといって、男性と二人で飲食した後に自分が伝票を持って立ち上がってもいけません。もちろん、「おごってもらって当然」という態度は男ウケが悪いわけですが、女が「金ならある」という態度を示す方がそれよりももっと悪い結果をもたらすことが、往々にしてあるのですから。

10 長期的視野のもとで物事を考える

何とかして結婚しようとする女性は、時にその手練手管ぶりばかりが悪目立ちしてしまうものです。が、彼女達は人間として当然のことをしているまで、と言うこともできる。

つまり彼女達は、「女性の平均寿命が八十五歳という日本において女として生を受けた私が、死ぬまでなるべく安定して幸せな人生を送るにはどのようにしたら良いのか」ということを、考えている。その結果として導きだした答えが、「とりあえずより良い夫と結婚して子を生すこと」。良い相手と結婚をするためにどんな手練手管を使おうと、それは経営者が企業戦略を練るのと同じ。何ら非難される筋合いは無いのです。

勝ち犬に対して負け犬が反感を抱くのは、ですから商売がうまくいかないダメ経営者が、成功した経営者に対して、

「あいつはやることが汚い」

と言うようなもの。

成功した経営者は、やっていることが汚いわけではありません。ただ、現状と未来とを見据えて冷静に戦略を立てただけ。

「あっ、今はコレが流行ってるからコレを仕入れよう！」

と、せいぜい一ヵ月後くらいのことしか考えられないダメ経営者とは、大きく異なるのです。

つまり勝ち犬とは、安定した老後を得るために、ナチュラルストッキングをはき続けることができる人のことなのです。「今すぐラクしたい」「明日、楽しいことをやりたい」「日々を刺激的に」という子供のような欲望のままに生きるのではなく、いかに遠くまでを見渡すことができるか。勝ち犬になるかどうかの別れ目は、そこに存在していることを、負け犬になりたくない人も、また既に負け犬になってしまった人も、理解した方がよいのでしょう。

負け犬になってしまってからの十ヵ条

1 悲惨すぎない先輩負け犬の友達を持つ
2 崇拝者をキープ
3 セックス経験を喧伝しない
4 落ち込んだ時の対処法を開発する
5 外見はそこそこキープ
6 特定の負け犬とだけツルまない
7 産んでいない子の歳は数えない
8 身体を鍛える
9 愛玩欲求を放出させる
10 突き抜ける

1　悲惨すぎない先輩負け犬の友達を持つ

いくら数が増えたといっても、あくまで異端の生き方である、負け犬。その中で道しるべとなり得るのは、年上の先輩負け犬の生き方です。自分より数歩先を歩む先輩と交流を持つことによって、負け犬として生きていく上でのちょっとしたヒントや心構えといったものを知ることができるでしょう。

注意しなくてはならないのは、いくら先輩でも、悲惨すぎる境遇の人は避けた方がよい、ということ。仕事はリストラされて男友達はゼロ、髪はボサボサでシミだらけ……とか、唯一の生きがいはジャニーズアイドルのおっかけで友達はおっかけ仲間のみ、会社では後輩にエロババァ扱いされ……といった、イヤ汁出しまくりの先輩は、後輩負け犬の精神に悪影響を及ぼしてしまいます。

イヤ汁まみれの先輩は、後輩にとって、

「こうはならないようにしよう」

という反面教師にはなるかもしれません。が、会った後で〝私も近い将来、あんな風になってしまうのでは?〟と、暗ーい気持ちになることは必至。

従って後輩としては、楽しそうに生きる先輩負け犬と、なるべくなら付き合いたいものです。負け犬たるもの、誰しもイヤ汁の一滴や二滴は流しているわけですが、自分にとって哀しすぎないイヤ汁のにおいをかぎわけ、ついていくようにする。そうすれば負け犬の先輩は、来るべき更年期についてとか、わらべ還りしつつある親との付き合い方といった具体的なことから負け犬精神論まで、有用な知識を授けてくれることでしょう。

先輩から受け継いだ負け犬道の教えは、当然、あなたが後輩達に伝えなくてはなりません。負け犬後輩が慕ってきたら、そのノウハウを出し惜しみすることなく伝授する。こうして、負け犬の生きる道というものは、つながっていくのですから。

2 崇拝者をキープ

勝ち犬はしばしば、夫のことを「常に、絶対に私の味方でいてくれる人」「私だけのナイト」という風に表現します。なるほどそれはごもっとも、実にうらやましいと思う。「私だけのナイト」を持っていない負け犬は、ではどのように自らの身を守ればいいのかというと、基本的には自分で守るしかありません。まぁ、そういう人生を選んだのだと思って、諦めるしかないでしょう。

が、ナイトの代わりになるような存在は、負け犬でも持つことができます。それは基本的には、自分のことを好いてくれている異性。未既婚は問いませんが、その人と性関係を持ってしまうと話がややこしくなるので、清い間柄であることが望ましい。

絶対的に自分を崇拝してくれる人がいる、という事実は、夫というナイトがいるよりも時に心強いものです。性関係も無いので、別れる切れるといった話にもなりようがない。ちょっと弱っていて崇拝されたい気分の時は会うけれど、そうでない時は会わない。

そんな崇拝者が他の女性と結婚してしまったりすると、負け犬は急に歯嚙みをしてくやしがったりするわけですが、それはそれでしょうがない。ゆく河の流れは絶えずして……、ってやつなのであって、それまでさんざ生殺しにしてきた自分が悪かったのだ、と諦めるしかありません。

崇拝者はそのように、非常に流動的な存在。仕事のことをわかってくれる人。力持ちな人。取り柄はないが常に暇なのでいつでも付き合ってくれる人。センスの良い人。……等々、常に複数人の崇拝者を確保しておくと、よいかと思います。

3 セックス経験を喧伝しない

恋愛をしていなければ人に非ず、の風潮の強い今。当然、セックスをしていなければ人に非ずという空気もあって、セックスレス夫婦は「そんなのおかしい」と非難されるし、「歳をとっても性欲はあるのが普通なのです！」と、高齢者すらセックスをけしかけられている。モンゴロイドなんて元々性欲が弱いんだから放っとけや、と思いますけれど。「セックスできれいになる」といったスローガンに乗せられて、若者も「何ヵ月もセックスしていないなんて、変なのではないか」などと不安になるようですが、悩む必要は無いのです。セックスできれいになるのなら、どうしてあの人やこの人はちっともきれいではないのか。

諸外国人に比べて性欲が元々弱い日本人の中で、人並み以上にセックスをしているという自負がある人は、セックス自慢をします。「私はこんな相手とこんなにセックスをしている」ということを語らずにいられない人を見ると、「きっと若い頃はモテなくて、その反動でこうなっちゃったのだなぁ」と思うわけですが。

負け犬も、「セックスをしなければならないのではないか」という強迫にさらされがちな存在です。「欲求不満なんじゃないの」的な揶揄をされがちな立場ですから、負けず嫌いな人は特に、

「私だってちゃんとセックスしてます！」

と言い張ったりする。

が、負け犬のセックス自慢は、よくよく注意した方がいい。負け犬が性的に充足していようがいまいが、世間にとってはどうでもいいことなのです。そんな中で自意識過剰になって、

「セックスには不自由してません！」

と負け犬が鼻息を荒くしていると、あまりの生臭さに閉口されてしまう。

三十代前半から四十代前半の負け犬で、時にセックスに対する妙に強力な執着を見せる人がいます。周囲が色気違い扱いするのを見て、朋輩としては痛々しい気分になるのですが、事が事だけに注意することもできない。

ですがもっと年上の負け犬先輩に聞いてみると、「その年頃の負け犬は、ロウソクが消える間際に激しく燃えるように、やけにセックスがしたくなるものなのだ」そうです。つまりもう生殖するとしたら最後のチャンスということで、身体が「ＧＯ！」のサインを出

すらしい。

　別に、負け犬がどれほどセックスをしようと一向に構わないのです。が、自慢だけはしない方がいいと私は思う。相手が若い男の子であろうと超絶技巧の持ち主であろうと、どれほどゴージャスな場所においてであろうと、自慢はすればするほど痛々しい。負け犬に限ったことではありませんが、するならするで黙ってしてろ、ということなのではないかと思うのですが。

4　落ち込んだ時の対処法を開発する

　負け犬はよく、「私は一生このまま一人ぼっちなのか……」などと、落ち込みます。落ち込み慣れしていない人は、「ずっとこの状態が続くのでは?」と不安になるでしょうが、その落ち込みは周期的なものであり、そう長くは続かないことを経験を積んだ負け犬は知っている。

　しかし頭痛と同じく、いずれ去るとはわかっていても、落ち込みを放置しておくのは嫌なものです。バファリンのように速効性のある落ち込み対処法を、自分なりに開発しておくと、イザという時に安心です。

　特定の人に会う、運動する、動物に触る、ギャンブルをする……など、落ち込み特効薬は人それぞれあるかと思います。ちなみに私の場合は、「アディクション」の項でもご紹介したクロスステッチが、落ち込み時の友。糸と針だけに集中していると、脳内から分泌されているであろう落ち込み物質が、明らかに遮断されるのがわかる。

ただしクロスステッチなどの手芸には、ゲームと同様の習慣性があります。落ち込み終ってからもつい、「クロスステッチが……や・りたい！」と手に取ってしまい、それこそ目が潰れるのではないかと思うほど、刺しまくってしまう。

あまりにも時間の無駄なので、私は「落ち込み時以外はクロスステッチ禁止」という掟《おきて》を、自分に課しました。クロスステッチのようにやたらと時間がかかる行為以外にも、飲酒や薬物摂取など身体に悪影響を及ぼす行為、買物やホストクラブ通いやギャンブルといったお金のかかる行為は、落ち込み時以外にやり続けると、生活を乱す危険がありますので、落ち込み発症時以外は手を出さないようにしたいものです。……って、それが一番難しいわけですけれど。

5　外見はそこそこキープ

「もう諦めた」

などと口では言っていても、内心は「まだまだ」と野望を燃やす負け犬は多いもの。諦めていないからには外見も死守、ということになってきます。

が、あまりに死守している様子が見え見えだと、周囲に「この人のことは若者扱いしなくてはならないのだ」というプレッシャーを与えてしまいます。またこの世には、「幸福な人ほど安心して老けていく」という事実もあるので、年齢不相応な若さはかえってその人の満たされていなさっぷりを浮き彫りにすることにもなるのです。

「自分が若くないことは知っている」という部分を見せつつも、見苦しくない程度の外見はキープしたい、というのが負け犬の外見形成の上での難しいところ。

「ここにシミできちゃってもうヤダー」

とか、

「そろそろ白髪、染めなくっちゃ駄目かなぁ」

と、他人が指摘しづらいところは自分からカミングアウトして、周囲を安心させる心遣いが必要でしょう。

それは、開き直るということではありません。

「あたしなんておばさんだしさぁ」

とばかりに、老化の様子をあまりに赤裸々に語られても、それはそれで対応に困るものです。

どれほど若造りしようとどれほど老化を放っておこうと、本人が良ければいいのだ、という話もありましょう。確かに、特殊なアーティスト気質を持つ人などであれば、どれほど特殊な外見であっても、世間はある種の「作品」として認めてくれるのです。しかし自分は「作品」になり得ないと自覚している人の場合は、無駄目立ちする必要もない。

隠しすぎず、あけすけすぎず。もの欲しそうすぎず、諦めすぎず。その辺のバランスをとりつつ、そこそこの外見をキープすることによって、負け犬は快適に生きていくことができるのです。

6　特定の負け犬とだけツルまない

負け犬同士の、ディープな友情。これは一種の戦友感覚のようなものであり、負け犬生活の中で欠かせない要素となっています。

中には、働く負け犬ばかりで徒党を組み、定期的に集まっては気炎をあげたりしている人も見受けられます。が、同じメンツだけでタコツボの中にひきこもってばかりいると、非常に高濃度のイヤ汁が発生し易いことは、わかっておいた方がいい。

負け犬が数人集まって飲食をし、おそらくは実ることのないであろう誰かの恋の悩みや仕事のストレスなんかについて話し合い、

「カラオケ行かない？」

ということになってカラオケボックスへと消える道には、こってりとしたイヤ汁によって、ナメクジが歩いた跡のような筋がついている。

特定の負け犬とだけツルんでいるのは、確かにラクなのです。互いのイヤ汁が発するツンとした発酵臭をかぎ合う楽しみも、わからぬでもない。

が、通にとっては芳香に思える発酵臭も、普通の人にとっては悪臭です。普通の人に眉をひそめられるような臭いが漂う前に、換気も必要。無理して同世代の勝ち犬と付き合うこともありませんが、時には違う負け犬や、性や世代の異なる人々と付き合ってみるの

も、よいのでしょう。

7　産んでいない子の歳は数えない

負け犬はしばしば、人生タラレバ劇場、ってやつを夢想するものです。「あの時あの人と別れなければ、私は今頃専業主婦で子供が二人くらいいて……」とか、「あの時お見合いした人と結婚していれば、今頃私は海外に駐在する商社マン夫人……」とか。

友人の子供など見ると、ますますその想像は強まります。「っていうことは、私にもこれくらいの子供がいたってちっともおかしくないってことか」と。

このような想像は、しかし負け犬にとってあまり有益ではありません。「死んだ子の歳を数えるな」と言いますが、「産んでもいない子の歳」など、ますますもって数えない方がいい。既にいっぱしの口をきくようになっている友人の子と遊びつつ、「ひえぇ、この子が生まれてからここまで大きくなるまでの数年間、私は何かこれに優る生産的な行為をしたのか？」と思うと、自らの非生産性がイヤでも見えてきてしまうから。

産んでいないものは、もうしょうがないと諦めるしかありません。産んだ人に対して、

「でも私はそれに代わるような仕事をしてきたし」

とか、

「その時でないとできない楽しい体験をたくさんした」

と、張り合う必要もない。産んだ人に対しては、

「素晴らしい！　よくやった！」

と、なるたけ褒めてあげるべきでしょうが、「でも私とあの人とは違う人」ということで、勝ち犬と自分を比べない方がよいのです。

同じように、別れた男の歳を数えるのも、あまり意味は無い行為。もし少しでもそこに意味があるとしたら、「あの人ともし結婚していたら、当然ながら姑《しゅうとめ》とはソリが合わなかっただろうし子供は夫に似たらブスだったろうし……、うーむ、やはり私には耐えられなかっただろうな」と、勝ち犬への適性の無さが浮き彫りになること、くらいなものでしょうか。

負け犬はしばしば、「私の人生、こんなハズではなかった」といったことを言うものです。が、「こんなハズ」通りになっていたとしてもまた、人生はつらいものであったことは、おそらく間違い無いのです。

8　身体を鍛える

この言葉に、深い意味はありません。一人で生きる負け犬は、病気になったからといって頼る人はいないわけで、だとしたら身体は丈夫な方がよいではないか、ということ。

万が一のことも、考えなくてはなりません。負け犬も、この先ムラムラと子供が欲しくなるかもしれないし、また欲しくなくても子供を産むことになる可能性も、無いとは言えない。四十を過ぎてからの子育てを乗り切るにも、体力はあった方がよいのです。

同時に気をつけなくてはならないのは、病気の予防・早期発見です。子供を産んでいない負け犬は婦人病のリスクが高いのですし、美食が重なれば成人病も注意しなくてはならない。「まだ若いのだから大丈夫」という一人よがりの思い込みは捨て、異変を感じたらすぐ医者へ。もちろん、定期検診も忘れず受診するようにしたいものです。

9 愛玩欲求を放出させる

大人になると自然に湧きだす、自分より弱くて小さな存在を可愛がりたいという、欲求。普通であれば自分で産んだ子供を愛でることによってそれを満たせばいいわけですが、負け犬はそれができません。

そんな時は、小動物や観葉植物などを育てることによって、その欲求をきちんと放出させることが大切であるかと思います。下手に欲求をため込むと、愛玩の対象が年下の異性になりかねないからです。

負け犬生活が長い人の中には、自分好みの若い男性を目にした時、急に目の色が変わって相好を崩す、という反応を示す人がいます。それは、ゴシップ好きの人が新ネタを耳にした時のような、実に品のない表情。彼女は、

「若い子って本当にいいわねー」

と舐《な》めるように見た挙げ句、

「ちょっといい？」

と、お触りまで。ふと我に返って、

「もう、ほんと歳とるって嫌よねぇっ、図々しくなっちゃって」

という言い訳はなされるものの、周囲の人はその時既に、「確かに歳とるって嫌だ……」と、思っている。


歳をとると、若者が異様に眩しく見えることは、確かなのです。が、その時にヨダレをたらさんばかりの表情を見せてしまっては、よくいるヒヒ爺《じじ》いと同じであって、負け犬の沽券《こけん》に関わろうというもの。空腹を適度に満たしておくことによって、好物を見てもがっつかないようにしたいものです。

10 突き抜ける

負け犬は、様々な面において能力の高い人が多いものです。だからこそ、「自分より〝高〟な女はちょっと……」という日本男児と結婚するに至らなかったわけですが。

そして負け犬は、そんな自分に対して、「これでいいのだろうか?」と思ってしまうことが、しばしばあるのです。


こんなに仕事のスキルを高めていいのか。

こんなに勉強ばかりしていていいのか。

こんなに趣味に打ち込んでいいのか。

マンションなんか買っていいのか。

……と、自らを高めゆく自分に、自信が持てなくなる。

なぜそのような心境に陥るのかといえば、「仕事（なり勉強なり）に一生懸命になるその精力を結婚相手探しに振り向けて子孫を残す方が、本来の人の道というものなのではあるまいか。自分のことにばかりかまけても、何にもならないのではないか」

という原罪意識が、どこかにあるから。

しかし、そんなことは思うだけ無駄なのだと私は思う。負け犬は時に、

「私、自分を変えようと思うの。今のままだったら、結婚なんてできないもの」

と宣言したりするのですが、その手の人が仕事を愛する様子を見ていると、ちょっとやそっと自分を変えたくらいで結婚ができるとは思えない。仕事と男とどちらを取るかと聞けば、絶対に「仕事」と答えるのは明白なのであって、

「『自分を変える』っていっても、髪型変えるくらいじゃ駄目なのよ。仕事を辞めるくらいの思い切りが無いとねぇ……」

と私はつぶやき、さらには、

「もう、ここまできたら下手に何かを変えるより、行くところまで行くしかないじゃん。突き抜けた先にはきっと、別の世界が広がっているハズ！　さらに上を目指せ！」

と、ヤケクソ気味にハッパをかける。

突き抜けた先には、もしかしたら何も無いのかもしれません。が、せっかく負け犬になったのだから、たとえ奇人変人と言われようと、途中で力尽きて倒れようと、勝ち犬には

決してできない突き抜け方をしてもいいのではないか。

今までさんざ色々なことを書きましたが、本当はどれほどおっかけをしようと、フラメンコを踊ろうと、大学院に入ろうと、つまりどれほどイヤ汁を出しまくろうと、負け犬本人にとっては知ったことではないのです。負け犬の皆さんには、これからも躊躇などせず、走って、走って、どこまでも走り抜けてほしいものだと思います。

おわりに

自分のことを「負け犬」と称していたら、心ある勝ち犬の方が、

「自分のことを負け犬だなんて言わない方がいいわ。あなたは全然、負けてなんかいないんだから」

と言って下さったことがありました。が、「負けてない」と言われても、私は嬉しくなかった。その人の理屈は、「あなたは、負けてはいない。なぜならば負けている人は他にいるから」というもの。その、常にどこかに敗北者を作り出さなければ勝利者は勝利者たり得ないという仕組みに、実に不毛な感じを覚えたのです。同時に、「ああ、この人は私のことを本当に負けていると思っているから、私が負け犬を自称すると、いたたまれなくなるのだな」ということも理解した私は、以来「負けっ放しの方がラクだわな」と、負け犬根性を育むこととなりました。

ここまで負け犬という単語を連呼してみると、勝ちだの負けだのということが、ほとほとどうでもいいことのように思えてくるものです。読者の皆様にも、そのどうでもいい感じが少しでも伝われば、幸いです。また負け犬の皆さんには「あなただけじゃない」ということを、そして勝ち犬の皆さんには「世の中には色々な人がいる」ということをもご理解いただければ、筆者としても負け犬になった甲斐があったというものです。

最後になりましたが、最高の負け犬イラストを描いて下さった井筒啓之さん、格好いい装幀をして下さった佐藤可士和さん、そして一緒に遠吠えして下さった講談社の森山悦子さん、どうもありがとうございました。そして、私の大切な負け犬友達の皆さん。さんざ負け犬扱いしてごめんなさい。皆さんのご協力無しにはこの本は書けなかったことでしょう。どうもありがとうございました。結婚する時は是非、盛大な披露宴を！

平成十五年　秋　　酒井順子

酒井順子（さかい・じゅんこ）
1966年東京都生まれ。
他の著書『少子』『ホメるが勝ち！』『食のほそみち』
『観光の哀しみ』『容姿の時代』『煩悩カフェ』など多数。

本書は、ＩＮ☆ＰＯＣＫＥＴ'02年１月号〜'03年２月
号連載に加筆訂正し、書下ろしを加えたものです。

負《ま》け犬《いぬ》の遠吠《とおぼ》え

第一刷発行　二〇〇三年十月二十七日
第十五刷発行　二〇〇四年十一月四日

著者　酒井順子　さかい　じゅんこ

発行者　野間佐和子
発行所　株式会社講談社
東京都文京区音羽二・十二・二十一
郵便番号　一一二・八〇〇一
電話　出版部　〇三・五三九五・三五〇五
販売部　〇三・五三九五・三六二二
業務部　〇三・五三九五・三六一五

印刷所　凸版印刷株式会社
製本所　島田製本株式会社

ISBN4-06-212118-2
N. D. C. 914 278p 20cm